27.80
2500

YO, PANCHO VILLA

Planeta

Jorge Mejía Prieto

Yo, Pancho Villa

COLECCION MEMORIA DE LA HISTORIA (MEXICO)

Dirección editorial: Homero Gayosso A. y Jaime Aljure B.

Diseño de cubierta: Gerardo Islas

© 1992, Jorge Mejía Prieto
© 1992, Editorial Planeta Mexicana, S.A. de C.V.
Grupo Editorial Planeta de México
Avenida Insurgentes Sur núm. 1162
Col. Del Valle
Deleg. Benito Juárez, 03100
México, D.F.

ISBN: 968-406-055-6

Primera edición: marzo de 1992

Impreso en México — Printed in Mexico

Contenido

Para Mario Malpica Valverde,
a quien mucho atrae la figura,
a la vez histórica y legendaria,
de Pancho Villa.

Yo muy bien comprendo que la guerra la hacemos nosotros, los hombres ignorantes, y que la tienen que aprovechar los gabinetes.

PANCHO VILLA

CAPÍTULO PRIMERO

MI NOMBRE ES PANCHO VILLA

Yo no podría decirles en qué lugar me encuentro. Desde luego que no es en el cielo. Porque si lo fuera, no sufriría tanto ni me la pasaría piensa y piensa, por una eternidad de tiempo, en lo que fue mi vida y en todo lo que quise y no logré para mis hermanos de raza. Además, ¿con qué derecho podría haberme ido al cielo, si es bien sabido que fui un ladrón y un asesino?

Aunque hay que tener en cuenta que si robé y maté fue porque así lo quiso mi triste destino. Primero, porque fui un perseguido de la justicia, nada más por defender la honra de mi hermana, cuando el hijo del hacendado la ofendió con sus malos instintos. Y desde el momento en que entré en la Revolución maté por una causa noble, que fue la causa de los pobres. Guerras como en la que anduve no se hacen con píldoras de migajón sino con balas verdaderas.

Pero no vayan a creer que me hago pendejo o trato de engañar o de engañarme. Fueron muchos y muy grandes mis pecados. A mi pobre madrecita –que fue una santa– todavía le deben causar allá en el cielo lágrimas de dolor y de tristeza. Ella,que tantos buenos consejos me dio para que fuera un hombre de bien y de provecho. Sin embargo, me traicionó mi mala suerte y ya ni llorar es bueno, mucho menos ahora que ni siquiera tengo ojos con qué soltar el llanto.

¿Entonces estaré en el purgatorio? Qué va. Con tan largo tiempo de soledad y de condena ya hubiera lavado mis culpas y encontrado al fin el eterno descanso. Tiene que ser el infierno, de seguro es el infierno, porque es cosa infernal pensar y volver a pensar, recordar y volver a recordar toda la historia de mi vida. Y son horribles y seguramente dispuestas por el mero general de todos los diablos, las visiones que tengo a veces, unas como pesadillas que son peores que los malos sueños, porque una voz de muy adentro me dice que son la pura verdad y que sólo estoy mirando lo que le ha pasado a México después de la mañana en que me asesinaron, el 20 de julio del año 23, en la ciudad de Parral.

¡Pobrecito de mi país, con tanto ladrón desvergonzado y tanto pillo que lo han sumido en la infelicidad! ¡si yo pudiera levantarme con mis muchachitos de la División del Norte, árboles y postes me iban a faltar para colgar a tanto cabrón y desgraciado, a tanto jijo de su carranclana madre! Comparación mal hecha, porque se queda corta, pues estos tales resultaron mucho peores, hombres de mala alma que nada arriesgaron y que de nada carecen en sus palacios y placeres, mientras tantísimos mexicanos no tienen ni para unas cuantas tortillas. Por lo menos el viejo barbas de chivo pagó su terquedad y su soberbia cuando el manco Obregón lo mandó matar allá en la sierra de Puebla.

Ya les dije que aquí en el infierno carezco de ojos y de lágrimas para llorar toda mi rabia y mi disgusto. Mejor será entonces que les cuente que nací el 5 de junio de 1878 en un rancho del pueblo de Río Grande, en el municipio de San Juan del Río, en el estado de Durango. Fui el hijo mayor de Agustín Arango y de Micaela Arámbula, campesinos tan fregados como estaban y siguen estando la mayoría de los campesinos de México.

Me bautizaron con el nombre de Doroteo y tuve cuatro hermanos: Martina, Mariana, Antonio y el más pequeño, que se llamaba Hipólito. Nuestro papá se murió cuando todavía éramos muy chicos, y yo tuve que hacerme cargo del sostenimiento de mi madre y mis hermanitos, dedicándome a cortar leña en el monte. Una parte de la leña que cogía la vendía en el pueblo, y la que sobraba se la daba a mi madrecita para que con ella cociera las tortillas y los frijoles que eran todo nuestro alimento, porque estábamos muy pobres y no había para más.

Mi mamá me hablaba con una voz muy suave y dulcecita, dándome muchos buenos consejos. Ella fue quien me hizo tomarles aborrecimiento a las bebidas embriagantes, que tanto daño les hacen a las gentes del campo. También me enseñó a creer en Dios y a encomendarme a su protección.

Mi mayor ambición era en ese entonces llegar a tener un burro para acarrear mayor cantidad de leña y ganar un poco más de dinero, siquiera para que los domingos pudiéramos comer carne. Hasta que juntando centavo tras centavo compré el burrito que mucho me ayudó en el trabajo diario, y que fue mi compañero y amigo.

Era yo en ese tiempo tan simple e inocente, que le hablaba al burro como si fuera una persona, diciéndole: "Fíjate, burro, que voy a arrejuntar dinero para comprarme un buen caballo e irme a tierras lejanas, donde las gentes sean buenas y paguen bien el trabajo de los pobres. Y me voy a llevar hasta allá a mi mamá y a mis hermanos, para que nunca nos falte de comer ni de vestir".

Otras veces le decía: "En esos pueblos lejanos a los que me voy a ir, mis hermanos y yo podremos ir a la escuela para aprender a leer y escribir, y no quedarnos tan burros como tú".

Porque me daba sentimiento que otros niños, cuyos padres eran rancheros ricos o hacendados, fueran llevados al colegio, mientras yo me pasaba todo el día cortando mezquites y haciendo manojos con la leña, para venderlos y llevarle unos pocos centavos a mi mamá.

Desde pequeño fui muy fuerte y el cortar leña me puso todavía más fuerte. Nunca me cansaba y me daba mucho gusto cuando lograba ganar algo más de dinero para comprar algunos trapos para mi familia y para mí. Calzoncillos y camisas de manta, sombreros de petate, rebozos y huaraches para no andar dialtiro encuerados y descalzos.

Quería mucho a mis hermanitos y a veces los montaba sobre el burro y me los llevaba al monte para que se pasearan y jugaran. Cuando crecieron un poco, los enseñé a escoger la leña que yo cortaba y amontonarla, para que fueran aprendiendo a trabajar.

Pensando que si uno sigue trabajando como burro llega a ser un burro también, y deseando progresar y sacar adelante a mi familia, un día decidí dedicarme al comercio. Así que fui a hablar con un señor llamado don Pablo Valenzuela, que tenía una tienda grande en el cercano pueblo de Canatlán y le pedí que me fiara azúcar, sal, piezas de panela, bolsas de arroz y de frijol, sombreros de palma y ropa de manta para ir a vender por las rancherías.

Don Pablo Valenzuela, que era un señor muy bueno, me fió todo aquello y de esa manera me convertí en comerciante. Como no sabía leer ni escribir, hacía mis cuentas en la cabeza y me ayudaba por medio de rayitas que anotaba con un lápiz sobre un papel de envoltura. Lo cierto es que siempre sabía con exactitud lo que le adeudaba a don Pablo y lo que los clientes de las rancherías me debían a mí.

Aprendí también a leerles las intenciones a las personas, fijándome en sus ojos cuando me hablaban. Así pude cuidarme de los tramposos y malos pagadores, y hacer tratos únicamente con los honrados y cumplidores.

Por dondequiera que iba veía muchas pobrezas y necesidades, poniéndome a pensar en las injusticias de esta vida, que hacen que muchos apenas tengan para mal comer, mientras los ricos viven en los ocios, los lujos y las comodidades. Y fui conociendo más a fondo los sufrimientos de mis hermanos de raza y de pobreza.

Mi mamacita se enfermó y Martina y Mariana tuvieron que encargarse de hacer la comida, que ya para entonces era mejor, y de barrer y arreglar el jacalito donde vivíamos. Y como puse mayor empeño en realizar mis ventas, tuve dinero suficiente para pagarle al curandero y comprar las medicinas con las que, gracias a Dios, mi madre pudo sanar.

Mi mamá me decía a cada rato que nosotros éramos campesinos y que debía agenciarme unas tierras para trabajarlas como mediero. Tanto me insistió que, para darle gusto, acepté tomar unas tierras de labor en la hacienda del Cogojito, propiedad de la familia López Negrete, en el municipio de Canatlán. ¡Quién iba a pensar que en esa decisión estaba la semilla del infortunio que me obligó a convertirme en bandolero!

Para ese entonces tenía quince años, y dándome ánimos alterné el trabajo del campo con las ventas que seguí haciendo en las rancherías, muy temprano y a partir del atardecer. Con ese doble trabajo tuve dinero con que comprarme unos pantalones, una camisa, unos botines y un sombrero de charro, que me ponía los domingos en la tarde para ir al pueblo a comerme un helado, platicar con los conocidos y mirar a las muchachas bonitas. Porque era bien tímido y no me atrevía a hablarle a ninguna de ellas. No hubiera soñado siquiera que me iba a convertir con el tiempo en un hombre mujeriego y con novias muy chulas.

Los caballos me gustaban mucho. Y aprendí a montar en un caballo que me prestaron, porque no tenía para comprarme uno propio, como hubiera sido mi deseo.

Durante un año, ayudado por mis dos hermanos hombres, me dediqué a las faenas del campo, logrando cosechas que nos permitieron ahorrar algún dinerito, con la ilusión de comprar una vaca y un caballo para empezar a salir de la pobreza.

Así iban las cosas cuando un día de septiembre de 1894, regresando de noche a la casa, oí gritos y llantos en el jacalito de adobe donde vivíamos. Me apresuré a entrar y encontré a mi mamá y a mi hermana Martina abrazadas y llorando a lágrima viva. Frente a ellas estaba Agustín López Negrete, el hijo de los amos de la hacienda, al que mi madre le suplicaba: "¡Por favor, señor, deje a mi hija en paz! ¡No sea desalmado! ¿Por qué quiere llevársela y perderla?"

Enfurecido y comprendiendo que el hijo de los amos lo que quería era mancillar a Martina, me le fui encima a golpes, quitándole la pistola que llevaba al cinto e hiriéndolo de gravedad. Al oír los balazos acudieron corriendo cinco mozos de la hacienda que esperaban cerca del jacal y que iban armados con carabinas. Para mi buena suerte, el hijo de los hacendados se portó como todo un hombrecito y les gritó a los mozos: "¡A mí llévenme a la casa, pero a este muchacho, que solamente defendió la honra de su hermana, no me lo tocan!"

Los mozos obedecieron al amo y se lo llevaron con sus heridas, mientras que yo, dándome cuenta de lo que había hecho y pensando que su padre no iba a tenerme ninguna clase de consideración, y que de cualquier manera iba a salir perdiendo por ser pobre y ellos muy ricos, le pedí a mi madre su bendición y abandoné el Cogojito, tomando el mero rumbo de la sierra.

Varios días caminé a pie, sin probar alimentos y sin descansar. Hambriento y fatigado, calmaba mi sed en el agua de los charcos que encontraba. Hasta que en aquellas soledades me encontré a un hombre que llevaba un burro cargado de comestibles. Le supliqué con buenas palabras que me diera algo de comer, pues no había probado bocado en más de tres días. Pero aquel individuo, que por lo visto era un mal hombre, me contestó de mala manera y me llenó de insultos, diciéndome que era yo un muerto de hambre y que me fuera mucho a la tiznada. Entonces, acordándome que llevaba la pistola que le quité al joven Agustín, amenacé con ella a ese sujeto egoísta. Lleno de miedo, el hombre echó a correr como alma que lleva el diablo. Me apoderé del burro y aplaqué mi hambre atrasada. Luego, con el estomago satisfecho, me acosté bajo un mezquite y me dormí.

Amargo fue mi despertar. Me encontraba rodeado de rurales que me apuntaban con sus armas. Uno de ellos, el jefe, me ordenó a gritos que me levantara. Me pusieron grilletes y me llevaron a la cárcel de Canatlán, acusado de haber herido a un hacendado y de haberme robado un burro cargado de mercancías.

La noticia de mi encarcelamiento llegó a oídos de don Pablo Valenzuela. Y este hombre tan bueno fue a verme con un amparo que quien sabe cómo conseguiría. Pero ni así me soltaron. Y como el juez de Canatlán se hizo cargo del caso, pues los dos delitos que cometí tuvieron lugar en su jurisdicción, y era grande su amistad con don Pablo, seguramente por petición de los hacendados fui trasladado unos dos meses después a la penitenciaría de la ciudad de Durango. Triste destino para un muchacho de dieciséis años.

Estaba consciente de haber atentado contra la vida de un hombre muy rico y poderoso, y sabía que habría de pagarlo muy caro, tal vez con mi propia vida. Así que decidí fugarme a como diera lugar.

Vi la oportunidad de hacerlo cuando les dio por sacarme, como parte de una cuadrilla de presos, a efectuar trabajos en las calles de Durango. Y un día en que los vigilantes se descuidaron, me metí de sopetón en una casa cuya puerta se hallaba entreabierta y que se encontraba situada cerca del rastro de la ciudad. La dueña de la casa era una bondadosa mujer; a la que le dio lástima saber que a mis pocos años me encontraba preso y con dos acusaciones que le parecieron totalmente injustas. Así que me permitió permanecer escondido allí por espacio de varias semanas.

Un domingo por la tarde, algunos lazadores del rastro dejaron sus cabalgaduras en la calle, y yo salí de la casa a toda prisa cuando nadie me veía, y de un brinco me monté en un caballo muy bonito y salí a trote veloz, tomando el rumbo de la serranía.

Mi intención era remontarme hasta lo más alto de la Sierra Madre, donde sería muy difícil que me encontraran. Al día siguiente, hallándome ya metido en el espesor de la montaña, me topé de pronto con unos hombres a caballo, que resultaron ser de la gente de Ignacio Parra, un bandido muy mentado en todo Durango y de quien conocía bien la historia, pues muchas veces había escuchado un corrido en el que se cantaban sus hazañas y toda la guerra que les daba a las acordadas del gobierno.

Con aquel bandolero famoso, que burlaba con habilidad la vigilancia de los rurales y hasta las búsquedas del ejército, y a cuya cabeza se le había puesto un alto precio, vine a caer y ésa fue mi salvación porque quede protegido y fuera del alcance de quienes seguramente me perseguían.

A Ignacio Parra le caí bien, cuando le conté que había baleado a un hacendado y que me había escapado de la penitenciaría y robado el caballo en el que iba. Sin embargo, viéndome de pocos años, me dijo:

—Está usted muy tierno, güerito, para andar en lo que andamos nosotros, pero si quiere trabajar como nuestro mozo, nomás me dice.

Yo le respondí de inmediato:

—Si de algo puedo servirles, lo haré con mucho gusto.

Fue así como me inicié en la banda de Ignacio Parra. Y debo de reconocer que fue mucho lo que aprendí al lado de esos bandidos. A curar personas y animales heridos. A arreglar monturas y espuelas descompuestas. A destazar reses. A cocinar. A rellenar cartuchos. A reconocer las huellas de las bestias y a seguirles el rastro. A utilizar las propiedades curativas de las plantas silvestres. A manejar las armas. A saber los rumbos con sólo mirar al cielo de las noches estrelladas. A adivinar la hora al ver la altura del sol. A reconocer el rumbo de los vientos, las nubes que traen agua y las que solamente pasan sin traer la lluvia.

Todos estos conocimientos se me quedaron tan grabados que los propios bandidos acabaron por recurrir a mí cuando necesitaban algún dato, cosa que a mí me daba mucho gusto porque me hacía columbrar que un día saldría de la oscuridad en que había vivido y llegaría a ser un hombre que guiara a los demás.

Algo más importante aprendí con Parra y con sus hombres: los valores del compañerismo y la lealtad, y la necesidad de la justicia vengativa. No fue de veras nada malo vivir con esas gentes tan rudas como yo mismo, que andaban en la robadera de ganado y sufrían persecuciones.

No tardo mucho Ignacio Parra en darme la oportunidad de ascender a bandolero, pues un día me dijo:

"Oiga, güerito, ¿ve aquella mulada que está en aquel rastrojo? Pues nos la vamos a llevar esta noche. Y usted, güerito, va a tener que ir a ahorcarle el cencerro a la mulera, esa yegua pinta que allí se mira, y va a traérsela cabestreando para que la siga la mulada".

Como me lo mandó Parra, así lo hice a eso de las once de la noche. Luego, junto con otro bandido de nombre Refugio Alvarado, al que le decíamos el Jorobado, arreamos la mulada durante dos semanas hasta un potrero en las afueras de la ciudad de Chihuahua, donde se la entregamos a unos hombres que allí nos esperaban.

El Jorobado era un hombre muy vivido y experimentado, que había andado por distintas partes del país y que platicaba muy bonito. Me acuerdo que mientras pastoréabamos a la mulada hacía Chihuahua me decía, mientras fumaba su inseparable cigarro de hoja:

–México es muy rico, es una de las naciones más ricas de la Tierra. Las minas de Zacatecas, que es la ciudad donde nací, son las que han rendido más plata en todo el mundo. Y en la ciudad de Durango hay un cerro que siendo de puro fierro, tiene el suficiente para ponerle un cincho de metal a la redondez de la Tierra. Y mira, güerito, también son riquísimos los yacimientos de Guanajuato y de Pachuca, donde trabajé como minero. Y tiene México grandes tesoros de carbón piedra y de petróleo, que acaban de descubrirse y que aunque no están explotados todavía, van a causar por su enormidad la codicia del extranjero.

Y me hablaba luego de la riqueza incalculable del estado de Chihuahua, al que aseguraba conocer como la palma de su mano, porque había sido mucho tiempo gambusino desde Parral hasta Batopilas.

Yo en mi inocencia le preguntaba:

—Y dime, Jorobado, ¿entonces por qué hay tantas gentes tan pobres en Canatlán y en el Cogojito?

El Jorobado soltaba la risotada y luego de darle otra chupada a su cigarro de hoja, me decía:

—Ah, qué güerito éste. Hay gentes bien fregadas no sólo en Canatlán y en el Cogojito. La miseria está extendida por todo el país y entre todos los trabajadores, lo mismo del campo, que de las minas y las ciudades. Las minas con vetas preciosas pertenecen casi todas a los extranjeros, y las que no, son propiedad de ricos mexicanos igual de ambiciosos y desalmados que ellos. Y los peones o quienes trabajan al servicio de los ricos en las ciudades, apenas tienen una tortilla con chile para llevarse a la boca.

—¿Pero por qué? —le preguntaba yo con ansiedad.

El Jorobado me respondía:

—Porque para Porfirio Díaz, que es el hombre que manda en este país, los pobres no valen nada. A los indios yaquis de Sonora se los llevan a pie hasta Yucatán para que trabajen y se mueran de cansancio como esclavos, en las haciendas henequeneras. Y a quienes se atreven a protestar por la mucha injusticia que hay, lo meten preso y luego lo sacan y le aplican la ley fuga, es decir, lo matan por la espalda y luego dicen que quiso fugarse.

Una vez hecho el entrego de las mulas, me fui con el Jorobado a la ciudad de Chihuahua, donde nos esperaba Ignacio Parra, quien me llamó aparte y me dijo:

"Andele, güerito, reciba este dinero que le pertenece por el buen trabajo que nos hizo".

Eran trescientos pesos en monedas de oro. Me quedé con la boca abierta, pues nunca había visto tanto dinero junto y se me saltaron las lágrimas de la alegría. Y me compré un bonito y vistoso traje de charro y un sombrero fino con toquilla dorada, que me gustaron mucho.

Ya de regreso a nuestra guarida en el sierra, le pedí permiso a Parra para ir a ver a mi madrecita, que para entonces se encontraba con mis hermanos en Santa Isabel, que así se llamaba el rancho cercano a Canatlán en donde vivían. Quería entregarle los más de doscientos pesos que me quedaban, para que ella hiciera un buen uso de ese dinero.

Don Ignacio me dió el permiso y vestido con mi traje de charro me fui hacía Santa Isabel. Montado en un buen caballo que támbien compré en Chihuahua, devoraba las distancias, pensando en la dicha de volver a ver a mi mamacita, quien me recibió entre lágrimas y mimos. Yo le entregué las monedas de oro. Y ella me dijo con una voz llena de tristeza, que me partió el alma:

—Hijito de mi vida, ¿de dónde traes tú tanto dinero? Seguramente andas robando y esos malos pasos te van a llevar a la perdición. Esto no debe ser. ¿Qué acaso no tienes temor de Dios? A mí me da mucho dolor y mucha verguenza el que un hijo mío se haya vuelto delincuente.

Me arrodillé ante ella y con los ojos llenos de lágrima, le dije emocionado:

—No se enoje conmigo, madrecita. Si ando en estas cosas, usted mejor que nadie sabe que es culpa de mi destino, ya que por defender el honor de la familia tuve que huir y remontarme a la sierra, donde no tuve más remedio que unirme a unos abigeos. Y la verdad es que prefiero ser el peor de los bandidos, antes que permitir que una de sus hijas sea deshonrada. Así que perdóneme y écheme su bendición, que Dios que todo lo ve sabrá lo que hace conmigo.

Mi madre, con el rostro bañado en llanto, acarició mi cabeza, me dijo que me perdonaba y me bendijo, diciéndome después estas palabras:

—Júrame, hijito de mi vida, que tratarás de cambiar y volver al buen camino. Yo entiendo que mucho debes haber sufrido para convertirte en bandido. Pero llévate esas monedas y no vuelvas a traerme dinero manchado por el crimen, y prométeme que harás todo lo posible por enderezar tu vida.

Le juré a mi madre que trataría de componer mi vida. Y muy en secreto le di a uno de mis hermanos el dinero que no quiso aceptar mi mamá, pidiéndole que lo utilizara en cualquier cosa que hiciera falta en la casa. Y luego de pasar unos días felices al lado de mi madrecita y mis hermanos, me volví a la serranía.

Poco después me separé de la banda de Ignacio Parra, porque quería enderezar mis pasos y porque, además, me asqueó el asesinato innecesario de un pobre anciano que llevaba en dos cajones pan para una distante hacienda, y al que José Solís, uno de los bandoleros, mató de dos tiros. Lo que más me dolió fue que Parra le dio la razón a este desalmado. Cuando aquello ocurrió, le dije:

–Mire, don Ignacio, hasta aquí lo he seguido, pero no me gustan los abusos con la gente buena del pueblo. Así que mejor me separo de usted y me voy a hacer mi propia vida.

No sé cómo fue que Ignacio Parra no sacó su pistola para tratar de matarme allí mismo, puesto que desafiaba su autoridad. Ha de haber creído que se trataba de un berrinche pasajero mío, porque sólo me dijo:

–Váyase pues, güerito, si esa es su voluntad; pero yo sé que sin mí y mis muchachos no podrá arreglárselas y que va a regresar pronto.

Sin decir nada más, monté en mi caballo y arrendé por otro rumbo de la sierra.

La verdad es que no le faltaba del todo la razón a Ignacio Parra, pues no hallaba cómo entendérmelas solo, ya que no podía arriesgarme a dejar la serranía, ni tenía manera de ganarme la vida en aquellas soledades. Pero no era cosa de regresarme con Parra, puesto que tenía mi dignidad. Así que acabé formando mi propia banda de robavacas con siete hombres de las rancherías serranas, que se me unieron sin dificultad, pues ya tenía yo fama de bandido valiente y con buena suerte.

Uno de estos hombres era Tomás Urbina, que con el tiempo fue mi compadre y alcanzaría mucho renombre como general revolucionario. De allí en adelante cambié mi nombre de Doroteo Arango por el de Francisco Villa, pues cada día eran mayores las persecuciones que me hacían los perros rastreadores con rostro humano, y quise ocultar mi identidad bajo ese nombre que tanto me gustó: Pancho, Pancho Villa. Tenía yo diecisiete años.

Por cierto que mucho es lo que se ha discutido acerca del verdadero origen de este nombre. Que si mi padre fue el hijo ilegítimo de un rico hacendado de apellido Villa. Que si Pancho Villa fue antes el nombre de una banda de abigeos con la que anduve. Y hasta el bueno del doctorcito Puente, quien por un tiempo fue mi secretario y escribió una historia de mi vida con las cosas que le conté, anduvo luego diciendo que yo no me llamé en mis primeros años Doroteo Arango Arámbula sino Doroteo Arango Germán. Y también corrió por allí el chisme de que un señor Agustín Villa ayudó a mi madrecita en mi ausencia, y que por gratitud me puse su apellido. Háganme ustedes el favor.

Yo no decía ni que sí ni que no, no más me quedaba oyéndolos. Y cuando alguno se me acercaba y me preguntaba y me daba su versión, tratando de indagar si era cierta, si no estaba de malas y lo mandaba mucho al carajo, lo miraba al fondo de los ojos y riéndome socarronamente, le decía:

"Pues si es usted tan águila, atínele, nomás piénselo bien y atínele, cuestión de que se ponga a pensar, amiguito".

Y el muy pendejo se iba seguro de que le había dado la clave y se andaba por allí diciendo que si esto, que si l'otro, que si la chifosca y que si la tostada.

Hasta ahora voy a decirles la verdad. De niño y de jovencito mi nombre fue Doroteo, el mismo con que me bautizaron. Pero nadie, o casi nadie, me llamaba así sino *muchacho*. "Muchacho, ven a hacerme un mandado". "Muchacho, tráete dos tantos de leña". "Muchacho, presta dos bolsas de frijol". "Muchacho, ven a detenerme aquí". "Quítate de ai, muchacho fregado". Muchacho, siempre el muchacho. Ni siquiera mi madrecita me decía Doroteo sino hijito de mi vida o m'ijito. Y mis hermanos, hermano o hermanito. ¿Y pasan ustedes a creer que me daba mucho sentimiento al creer que por ser tan pobre ni a nombre llegaba? Y al no tener un nombre mío, propio, me lo gané con sufrimientos, con persecuciones y con hazañas. Y Pancho Villa fue mi nombre que yo mismo me hice, mi nombre de a de veras, que hice crecer con el tiempo y que era como el nombre que juntaba todos los nombres de los míos, de mis muchachitos, de los hombres de mi tropa, leales, parejos, jaladores, dispuestos a seguirme siempre sin preguntar siquiera a dónde ni porqué.

Pablo López, el chihuahuense al que me fusilaron en el mero centro de la capital de su estado. Nieves Quiñones, el que fue tomado preso por los federales y, mal fusilado por ellos, se levantó del paredón y les exigió a los pelones que lo volvieran a fusilar. Y tantos cientos y tantos miles que siguieron mis veredas. Panchos, Pepes, Pedros, Juanes, Luises, Tomases, Robertos, Jaimes, Jorges, Pablos, Rodolfos, Pérez, González, Garcías, Martínez, Vargas, Estradas, Contreras, Díaz, Márquez, Rojas y Fulanos, Zutanos, Menganos y Perenganos. Todos esos que me fueron fieles hasta la muerte, la canija pelona que los agarró a caballo, con el fusil en la mano y gritando "¡Viva Villa, jijos de la tiznada!" Ellos fueron yo y yo fui ellos y todos éramos Pancho Villa, todos reunidos en la bola, carne del pueblo, corazón del pueblo, venganza del pueblo. Entre todos hicimos mis victorias, entre todos caímos en derrota, entre todos nos alzaremos un día de la tumba, o de la falta de tumba, para luchar otra vez por México y por todos sus pobres y jodidos.

¿Qué importa pues el origen de mi nombre? El caso es que yo era Pancho Villa, y un día fui el general Pancho Villa, el que se ganó su águila y su nombre de fama con sus obras y por sus propios güevos.

Y porque yo lo quise y mis muchachitos lo quisieron así, mi nombre fue todos los nombres, los de todos mis hermanos de raza y para qué le buscan más.

Pancho Villa. El nombre se lo llevó el viento y se metió en los ecos y recovecos de mi patria, en los pueblos, los desiertos y montañas, donde quiera que hay un mexicano agraviado por los ricos, burlado por los perfumados y los poderosos, escarnecido por los demagogos. Pancho Villa. El nombre brincó las fronteras, pero antes se metió por los rincones de este país, poniendo miedo y llevando también esperanzas. Pancho Villa, Pancho Pueblo, Pancho México, Pancho Viva Villa, jijos de su chingada madre.

Y siendo yo el mero Pancho Villa, cuando tuve que volverme guerrillero y regresé a la clandestinidad usé muchos nombres para despistar a mis rastreadores. Y fui éste y fui el otro y fui aquél, pero en la boca de los míos seguí siendo Pancho Villa, el general de la División del Norte, como lo sigo siendo ahora que estoy muerto y no descanso.

Pues hasta metido aquí en el infierno, mi nombre es Pancho Villa.

CAPÍTULO SEGUNDO

REVOLUCIONARIO EN CHIHUAHUA

Ya con mi nombre de Pancho Villa me dediqué a la robadera de vacas, operando con mi banda en esta forma: nos robábamos las reses y las destazábamos en nuestros escondrijos, secando y salando la carne para ir a venderla en los pueblos y rancherías. Sacabamos nuestro buen dinero y a mí no dejaba de darme pena recordar el falso juramento hecho a mi madrecita, de que enderezaría mi vida. Tal vez por ese remordimiento, con una parte del dinero que me correspondía como jefe de la gavilla, procuraba ayudarles a las gentes más pobres y hasta a las gentes adineradas cuando les descubría buenas intenciones.

Recuerdo que una vez asaltamos a un hombre que montaba en muy buen caballo, vestía ropas de buena clase y portaba finas armas. El jinete aquél se rindió con facilidad, pero yo notaba que había en su cara una expresión de profunda preocupación y tristeza. Y le pregunté:

–¿Qué le pasa, amiguito? ¿Tanta tristeza le da perder su caballo, sus armas y su dinero?

El hombre contestó:

–No, señor, es que soy dueño de la hacienda tal e iba yo a la ciudad de Durango por un médico, pues mi hijita de nueve años está muy enferma.

A mí me calaron estas palabras, así que le dije:

–No faltaba más. Le voy a regresar sus cosas y se me va rapidito por el doctor que necesita. Lo van a acompañar dos de mis mucha-chitos para que lo protejan, pues últimamente han ocurrido muchos asaltos por estos caminos. A su regreso, los voy a acompañar personalmente a usted y al doctor que se traiga, hasta los lindes de su hacienda. Píquele pues, y quiera Dios que su niña se salve.

Un compadre mío, Eleuterio Soto, quería unírseme, pero no se decidía. Así que un día fui a verlo hasta su casita, no muy lejos del rancho de Santa Isabel, donde vivían mi madre y mis hermanos. Cuál no sería mi sorpresa cuando Eleuterio me recibió con la mala noticia de que mi mamacita estaba muy grave, y que decía el doctor que la atendía que tal vez no pasara la noche.

Con la boca reseca y muy amarga, y palpitándome recio el corazón, subí a mi caballo y picando espuelas me fui a toda prisa a Santa Isabel, con el deseo de encontrar a mi madre todavía con vida y alcanzar su última bendición. Al verme llegar al rancho, un vecino salió a mi encuentro para avisarme que no me acercara a mi casa, pues estaba rodeada por una tropa de rurales que estaban en mi espera. Y agregó que mi mamá ya había expirado y la estaban velando.

Ni modo, tuve que alejarme del lugar y sólo a la distancia pude mirar las luces de las velas con que mi madrecita era velada. Lloré durante varios días. Y ahora mismo que recuerdo esto, echo de menos los ojos que ya no tengo y con los que podría llorar.

Después de la muerte de mi madrecita me entró fuerte el remordimiento y decidí regenerarme.

Y pensando que en Chihuahua no era perseguido, en esa ciudad me compré una casa y mandé por mis hermanos, contento de poder tenerlos a mi lado, resuelto a dedicarme al comercio, para que esa actividad decente les sirviera de buen ejemplo.

A todo esto, debo contarles que poco antes en un pueblo situado en uno de los valles de la Sierra Tarahumara, me hice amigo de una muchacha muy chula, llamada Luz Corral, la mujer a la que más amé entre todas las esposas que con el tiempo llegué a tener. A cada rato le llevaba ramos de flores o cancioneros. Estaba decidido a matrimoniarme con ella, pues era muy grande la falta que me hacía. Pero aplacé mi boda con Lucecita porque en octubre de 1910 conocí en Chihuahua, por conducto de mi compadre Victoriano Ávila, a don Abraham González, un gran hombre al que don Francisco I. Madero comisionó para preparar la Revolución en el norte del país. No le dio trabajo a don Abraham convencerme, cuando me dijo:

–Pancho, la Revolución está cercana y va a luchar por los derechos de los pobres y de los oprimidos de todo el país. Debemos, como buenos mexicanos, incorporarnos al movi-- miento y triunfar para el bien de nuestra patria o morirnos en la raya.

Yo le respondí:

–Pues usted nomás ordena cuándo y sépase que cuenta conmigo desde ahorita.

De veras que la Revolución no tardó en estallar. El 12 de noviembre de aquel año de 1910, don Abraham González, acompañado por un partidario suyo de nombre Cástulo Herrera, fue a visitarme a la casa. Y al terminar de cenar, me dijo:

–Ha llegado el momento de iniciar la Revolución. Yo me voy al norte del estado, a Ojinaga, y tú Pancho te me vas al Sur, a San Andrés, a organizar las tropas. Reconocerás como tu jefe a Cástulo Herrera, aquí presente. Sé que habrás de cumplir con tu deber y dar la vida si es necesario por la causa tan noble en la que andamos.

Emocionado, le contesté:

–Señor don Abraham, tenga usted por cierto que iré a la lucha a donde usted me mande, y que pelearé lo mejor que pueda al lado de las tropas que logre organizar, por el bien del pueblo y de los pobres. Yo y todos los hombres que pueda reunir obedeceremos a Cástulo Herrera y pelearemos hasta el último instante de nuestras vidas.

Esa misma noche, acompañado por quince vecinos a los que convencí de que me siguieran, tomé mis armas y nos remontamos a la Sierra Azul, rumbo a San Andrés, deteniéndonos en las rancherías para invitar a los hombres a unirse a nosotros. Era muy popular por esos lugares y sin dificultad logré juntar trescientos setenta y cinco elementos, cada uno de ellos montado y pertrechado.

El 21 de noviembre siguiente, Cástulo Herrera nos dio órdenes de bajar al pueblo de San Andrés, de donde huyeron espantados los rurales que lo guarnecían, al acercarnos nosotros.

Algunos de mis muchachitos, contentos al ver la facilidad con que habíamos tomado el pueblo, se pusieron a disparar sus armas al aire. Cástulo Herrera no hizo nada para impedir aquel desperdicio de municiones. Así que les grité fuerte a los que estaban disparando:

"¡Ya estuvo bueno! ¡Nadie me vuelve a soltar un balazo al aire! No gasten las municiones a lo pendejo, pues ni siquiera hemos empezado a combatir. Además, en este pueblo viven mujeres y niños y no hay razón para asustarlos".

Ese mismo día, con quince de mis hombres, realicé mi primer ataque a los federales. En la estación de Pedernales, al escuchar el silbido de una máquina, parapeté a mis muchachitos en posición de tiradores y ordené abrir el fuego cuando llegara el tren, que ante el ataque inesperado se detuvo para que la tropa de pelones que llevaba respondiera a nuestras balas.

El teniente federal Pablo Yépez murió en el encuentro, cayendo a un lado de la vía. Pero los pelones, cuya superioridad numérica era grande, se rehicieron y nos pusieron en aprietos. No sé cómo nos hubiera ido si no llegan a auxiliarnos otros de mis muchachitos a caballo. Viendo su situación perdida, un capitán federal le ordenó a gritos al maquinista que echara a andar la máquina, que se alejó hacia el rumbo de la hacienda de Bustillos en medio de una tupida balacera.

Cástulo Herrera, aunque nombrado mi jefe por don Abraham González, era un individuo desprovisto de iniciativa. Y como yo sí estaba acostumbrado a tomar decisiones y además las gentes de la región me querían y me respetaban, pronto me convertí en el jefe indiscutible de aquel grupo de revolucionarios, sin que el tal Cástulo se incomodara por ello.

Otros cabecillas revolucionarios operaban en distintos puntos del estado de Chihuahua: Pascual Orozco, Maclovio Herrera, Cesáreo Castro, mi compadre Tomás Urbina, Guillermo Baca, José de la Luz Blanco y los cinco hermanos Arrieta. Pronto nos llegó la noticia de que Ciudad Guerrero, población de importancia, había caído en manos de Pascual Orozco. Esto no le gustó nadita al gobierno, que ordenó que el Veinteavo Batallón de Infantería, al mando del general Juan J. Navarro, saliera de la ciudad de Chihuahua a recuperar, a como diera lugar, Ciudad Guerrero. Esta tropa marchó a lo largo de la vía del ferrocarril, siendo recibida con fuertes descargas de fusilería en el lugar llamado Cerro Prieto. Eran mis gentes y las gentes de Pascual Orozco, que desde los cerros disparaban contra los pelones. A mí las manos me hacían cosquillas de las ganas de pelear. No me las aguanté y montando en mi caballo me acerqué varias veces al enemigo, lazándoles varias ametralladoras y llevándomelas a rastras.

Pero las fuerzas del general Navarro eran más numerosas y estaban mejor pertrechadas y, lo que sea de cada quien, peleaban con muchos güevos. Por lo que después de unas tres horas y media de intenso tiroteo, tuvimos que retroceder hacia lo alto de la serranía.

Esa noche me mandó invitar a su campamento Pascual Orozco. Era un hombre alto, flaco y huesudo, de cabello lacio, frente pequeña y ojos chicos y brillantes. Sobre la boca delgada y larga llevaba bigote. Se portó muy labioso. Que Pancho Villa por aquí y que Pancho Villa por allá, y que mi fama de valiente y que me admiraba mucho. Pero a mí no me cayó nada bien, aunque supe disimularlo. Había un algo de doblez, de hipocresía, que se desprendía de su persona.

Conversábamos de las bajas sufridas, cuando nos llegaron a informar que una escolta de cincuenta federales había salido de Chihuahua, custodiando diez mulas cargadas de cartuchos para las fuerzas de Navarro. De inmediato salí del campamento de Orozco y fui a ordenarles a mis muchachitos que ensillaran para ir a atrapar a la escolta ésa y arrebatarle los cartuchos.

Al día siguiente, muy temprano, acuartelé a mis fuerzas en las afueras del pueblo de San Andrés, en el sitio donde calculé que pasaría la recua con la carga de proyectiles y los cincuenta pelones que la custodiaban. Y sucedió que muchos de mis muchachitos eran de San Andrés o tenían parientes o amigos allí, por lo que me pidieron autorización para ir a visitarlos. De puro tarugo, les concedí los permisos y sólo quedaron acuartelados unos cuantos hombres de guardia y toda la caballada. Repentinamente, una gran fuerza federal irrumpió en el pueblo, descendiendo por las márgenes de un arroyo que bajaba de la sierra. Me vi precisado a huir con los hombres de la guardia. La mayoría de mis muchachitos que estaban en las casas de San Andrés, fueron alertados de la llegada de los pelones y lograron escapar y unírseme. Pero toda la caballada se perdió. Yo tuve la culpa. Y con ganas de sorrajarme la cabeza contra una piedra, me juré que de allí en adelante sería precavido y nada blando en la disciplina militar. Y entendí para siempre que en la guerra hay que estar listo en todo momento, para responder a cualquier sorpresa.

El general Navarro se encontraba acampado en el pueblo de Pedernales, en espera de los refuerzos que, según supimos, le fueron enviados en dos trenes militares desde Chihuahua, con el fin de que pudiera lanzarse a la recuperación de Ciudad Guerrero. El convoy debía cruzar por fuerza el desfiladero de Mal Paso. Y así lo hizo el domingo 18 de diciembre, a eso de la una y media de la tarde. Hombres míos, de Pascual Orozco y de José de la Luz Blanco, colocados estratégicamente en las alturas, dejaron que el primero de los trenes se metiera en el desfiladero, seguido de muy cerca por el segundo. Una vez que los trenes se encontraron a medio desfiladero, abrimos un tupido fuego de fusilería, sin que los federales pudieran hacer gran cosa para defenderse. Desesperados al darse cuenta que habían caído en una trampa, se dieron a la fuga, llevándose a sus heridos pero abandonando todo su equipo militar, que cayó en nuestras manos.

Juan J. Navarro quedó aislado en Pedernales. Sin embargo, días depués logró reorganizar sus fuerzas y con ellas ocupó Ciudad Guerrero, que las tropas de Orozco habían abandonado poco antes.

Porque la guerra en Chihuahua era un constante tomar poblaciones para abandonarlas luego y a los pocos días ir a tomarlas de nuevo; una serie de ataques por sorpresa, descarrilamientos y saqueos de trenes, emboscadas y embes- -tidas de caballería rapidísimas a las que seguía la huida. Era pues la mentada guerra de guerrillas, que tanto desmoraliza y descontrola al enemigo.

Lo que más asustaba a los pelones eran las máquinas locas que cada que podíamos les lanzábamos a toda velocidad y sin tripulación, estrellándolas contra sus convoyes, descarrilán-- dolos y causando una buena matazón de federales. Pero el gobierno de Porfirio Díaz no se daba por vencido. Y empezaron a llegar a la región nuevas columnas gobiernistas en largos trenes militares, al mando de los generales Samuel García Cuéllar, Juan Hernández y Gonzalo Luque, a quienes se les dieron órdenes de sofocar la rebelión.

Nuestros espías nos contaban que los ojos de los pelones se abrían grandotes y llenos de espanto cuando, al avanzar los trenes por las llanuras desérticas o internarse en la montaña, se topaban con racimos de hombres ahorcados y uniformados igual que ellos, que colgaban de los postes del telégrafo, cuyos hilos habían sido cortados por nosotros. Y también se pandeaban al mirar en las paredes de las estaciones letreros pintarrajeados que decían: "¡Viva Villa!" "¡Viva Madero!" "¡Viva Pascual Orozco!" "¡De estos lugares no van a salir vivos, pelones jijos de tal!"

Yo tenía muchos deseos de conocer a Madero, el mero jefe de nuestro movimiento. Y me dio mucho gusto saber que en la madrugada del 14 de febrero de 1911 cruzó el Río Bravo y regresó a territorio mexicano, hallándose ya en el estado de Chihuahua. Salió a encontrarlo don Abraham González con un pequeño grupo de maderistas. Eran unos ciento treinta y dos hombres, de los cuales sólo la mitad iban armados con máuseres y winchesters. Madero marchaba al frente. En el pueblo de Guadalupe se le unieron más de cien hombres bien pertrechados.

La idea de Madero era tomar con su reducida tropa la ciudad de Casas Grandes, centro ferrocarrilero de importancia. Así. que emprendió con sus gentes una pesada caminata de ciento noventa kilómetros. En el trayecto se le fueron uniendo más hombres, con lo que al llegar a las afueras de Casas Grandes contaba con cerca de ochocientos elementos.

Casas Grandes estaba guarnecido por soldados del Dieciochavo Batallón y por numerosos rurales, todos al mando del coronel Agustín Valdés. Al amanecer el día 6 de marzo, los maderistas comenzaron el ataque, peleando con mucho valor. Ya se encontraban en las primeras calles de la ciudad, derribando las alambradas de púas puestas por los defensores, cuando les llegó a los federales un gran refuerzo de tropas, al mando del general Samuel García Cuéllar y bien provistas de morteros que empezaron a disparar contra los maderistas, que siguieron peleando hasta después del mediodía, cuando se vieron obligados a emprender la retirada. Madero había sido herido en un brazo, y su jefe de Estado Mayor, Eduardo Hay, en un ojo, cayendo prisionero de los pelones.

Con cien hombres menos, entre muertos, heridos y prisioneros, Madero se remontó a la sierra, llegando hasta la hacienda de Bustillos, un lugar de difícil acceso, a donde los revolucionarios acostumbrábamos llegar a reponernos después de nuestros encuentros con los federales.

A finales de marzo llegaron a la hacienda de Bustillos, a ponerse a sus órdenes, José de la Luz Blanco y Pascual Orozco, con varios cientos de hombres bien montados y pertrechados. Minutos después le avisaron a Madero que acababa yo de llegar. Don Francisco dispuso que me llevaran de inmediato a su despacho, donde me recibió con una gran sonrisa y me dijo con mucho afecto:

"¡Pero qué jovencito y qué valiente eres, Pancho! ¡Déjame darte un abrazo! Sé que te estás portando muy bien y mañana iré a San Andrés, donde me dicen que tienes tu tropa, para tener el gusto de conocerla".

A mí me emocionó el cariño y buena voluntad que sentí en aquel chaparrito que encabezaba el movimiento revolucionario, y no me dio trabajo adivinar en sus palabras y en su abrazo la nobleza de su corazón, y me nació tenerle confianza porque siendo un hacendado muy rico se condolía de los pobres y deseaba lo mismo que yo, en mi rudeza, había deseado siempre: que se mejorara la suerte del pueblo y se le hiciera valer en todas partes.

Y al sentir su bondad, pensaba entre mí: "Este es un rico que pelea por el bien de los pobres. Yo lo veo chico de cuerpo, pero siento que es muy grande su alma. Si fueran como él todos los poderosos de México, nadie tendría qué pelear y los sufrimientos de los pobres no existirían, viéndonos como hermanos todos los mexicanos".

Conforme a lo prometido, don Panchito Madero llegó a mi campamento en San Andrés, siendo recibido con exclamaciones de alegría por mis setecientos hombres, que lo impresionaron por sus buenas armas, sus buenos caballos y su disciplina.

En esos días, el señor Madero nos extendió nombramientos de coroneles a Pascual Orozco y a mí. A principios de abril, don Francisco I. Madero se movilizó con todas las tropas hacia

Ciudad Juárez, con la idea de que tomáramos esa plaza fronteriza, pues le habían llegado informes de que el general Díaz suponía que los revolucionarios atacaríamos la capital del estado, y allí concentró un mayor número de efectivos.

Orozco, el italiano José Garibaldi, Raúl Madero y yo, al frente de nuestros elementos, marchamos en avanzada para despejar el camino y limpiarlo de federales. Lo cierto fue que después de doce días de recorrido, todos los contingentes nos situamos, el 19 de abril, en las inmediaciones de Ciudad Juárez. Distribuí a parte de mis hombres en los montículos de arena y las colinas bajas del lugar, reservando a retaguardia mi caballería. Ese mismo día, don Panchito Madero le envió un propio al general Juan J. Navarro, defensor de la plaza, intimándole su rendición. Pero el emisario fue fusilado.

El señor Madero se alojó con su esposa doña Sarita y sus colaboradores principales en una casa de adobe frente a la asediada Ciudad Juárez. Entre sus acompañantes se hallaba un hombre alto, barbudo, muy serio y con lentes: Venustiano Carranza, que a mí no me cayó bien por su aire de soberbia.

Me sentía impaciente porque el señor Madero no se decidía a ordenar el ataque, entregado a enfadosas e inútiles conversaciones con enviados de Porfirio Díaz. Lo que más me exasperaba era que circulaban alarmantes rumores de que se acercaba el general federal Antonio Rábago al frente de poderosos refuerzos.

Para calmar mis nervios, hacía largos recorridos a caballo alrededor de la ciudad sitiada. Para ese entonces me había agenciado tres caballos de lo mejorcito: un cuatralbo de fina estampa, muy nervioso y arisco con los demás, pero confiadísimo y manso conmigo, y sumamente veloz; un prieto azabache, de gran inteligencia, que me saludaba con sus relinchos apenas me veía llegar; y un alazán tostado que se adaptaba de tal manera a mi cuerpo, que antes de que le diera una orden él me la adivinaba y se adelantaba a ella. ¡Cómo se siente la realidad y el latido de la tierra al trote de un buen caballo! De mí sé decirles que fueron dos las grandes pasiones de mi vida: las mujeres y los caballos, en ese orden. También me gustaron los gallitos de pelea. Siempre supe hallarles el modo a las unas y a los otros, y supe darme mis satisfacciones, encontrando como dice el dicho: caballo que llene las piernas, mujer que llene los brazos y gallo que llene las manos.

Y de las muchas tierras que con el tiempo recorrí, mi favorita fue Chihuahua, a la que llegué a querer en cada pueblo, cada ciudad, cada rincón, cada variante del terreno, cada llanura desértica, cada barranca, cada valle, cada riachuelo, cada laguna, cada bosque y cada paraje de ese estado. Pero hasta ese momento no conocía Ciudad Juárez y pensaba con tristeza que como iban las cosas, con la indecisión del señor Madero, que no daba la orden de ataque, iba a quedarme con las ganas de conocerla.

Quedarnos sin entrar a Ciudad Juárez no podía ser. Así que Orozco y yo, de común acuerdo, decidimos actuar por nuestra cuenta. Y el 8 de mayo les dije a varios de mis hombres:

"Muchachitos, acérquense a los pelones, échenles unos cuantos tiritos y se me regresan al campamento".

A la misma hora, por otro rumbo, algunos soldados de Orozco se acercaron a unas huertas vecinas a Ciudad Juárez con el pretexto de cortar fruta, pero en realidad para acercarse a los federales y mentarles la madre a gritos, con el fin de hacerlos enojar y que les contestaran a tiros.

La estratagema dio resultado en los dos casos, entablándose reñidos tiroteos. Alarmado, don Panchito Madero nos mandó llamar para decirnos:

–¿Qué es lo que está pasando?

Yo le contesté:

–Nada, señor, que los soldados empezaron a balacearse.

–Pues hagan algo para suspender el fuego.

–Como usted mande –le respondimos mañosamente, pues lo que en realidad hicimos fue irnos a seguir azuzando el combate. El señor Madero, desesperado al ver que no se cumplían sus órdenes, fue en busca de nosotros. Al primero que encontró fue a mí, preguntándome:

–¿Qué pasa que no has retirado a esos hombres que están dispara y dispara?

Le dije:

–Es que a estas alturas la retirada es imposible. Los ánimos están muy exaltados y nuestras gentes no quieren otra cosa más que pelear.

El señor Madero exclamó:

–¡Pues si es como dices, qué le vamos a hacer!

El miércoles 10 de mayo la plaza se rindió incondicionalmente. Y no es por presumir; pero la verdad es que la caída de Ciudad Juárez se logró principalmente gracias a las cargas de mí caballería que golpeaba, una y otra vez, las líneas federales, haciendo caer a los pelones como moscas.

Cuando fui a avisarle al señor Madero la rendición de la plaza, con el general Navarro, sus oficiales y todas sus fuerzas y equipo en nuestro poder, se alegró mucho y me dio un abrazo muy apretado.

Ni Orozco ni yo olvidábamos que Juan J. Navarro nos había ocasionado muchas bajas, ni que, portándose como un verdadero cabrón, fusiló a los hombres de nuestra tropa que tomó prisioneros, y hasta el emisario que le mandó don Panchito Madero. Por lo tanto, creímos que era de justicia fusilarlo. Pero el señor Madero resolvió respetarle la vida y ponerlo en libertad. Eso nos cayó muy mal, y como además no se les habían pagado todavía sus haberes a nuestras tropas, nos dirigimos rodeados por nuestras escoltas al edificio de la Aduana de Ciudad Juárez, donde don Panchito tenía su despacho, para exigirle la entrega del general derrotado y llevarlo al paredón.

Nuestras escoltas cercaron la Aduana y nosotros pasamos al interior a demandarle a nuestro jefe que nos entregara en el acto a Navarro para fusilarlo. Mientras varios de mis hombres desarmaban a la guardia de Madero, Orozco sujetó a éste con el brazo izquierdo, mientras con la mano derecha lo encañonó con su pistola.

Sin que la voz le temblara, el chaparrito exclamó:

–¡No olviden que soy el presidente!

Le replicó Orozco:

–¡Pero de aquí no me sale!

Don Abraham González y Gustavo A. Madero, éste también pistola en mano, trataron de librar al señor Madero de los brazos de Orozco. Rodeado de enemigos y forcejeando, don Panchito llegó hasta la puerta de la Aduana y la traspuso ante la sorpresa de las escoltas que rodeaban el edificio y que no supieron qué hacer.

Don Francisco I. Madero consiguió subirse a un automóvil abierto, mientras las tropas aclamaban a Pascual Orozco. Con toda su entereza, el chaparrito les echó una arenga:

—¡O conmigo o con Orozco! Pueden matarme si quieren, pero no olviden que soy el presidente de la República, y que soy quien ha iniciado este movimiento y lo ha mantenido. Soy el jefe de la Revolución y Orozco no es más que uno de sus militares y uno de mis subordinados.

Alguien gritó:

—¡Viva Madero!

La tropa y los curiosos que se habían reunido en gran número gritaron enardecidos:

—¡Que viva Madero, que viva!

Con su valor tan grande, don Panchito salió triunfante de una situación que pudo costarle la vida.

A mí me entró un arrepentimiento muy fuerte, dándome cuenta de lo mal que me había portado. Era como haberle faltado a mi propio padre. Así que echándome a llorar, le dije:

—¡Fusíleme, señor Madero, castígueme, castígueme!

Aquel hombre tan bondadoso, me respondió cariñosamente y con una gran sonrisa:

—¡Que te voy a fusilar, Pancho, si eres un valiente!

A Pascual Orozco le dijo:

—Ya pasó todo. Cuando esté sereno, hablaremos todo lo que quiera. Venga esa mano.

Orozco guardó la pistola de mala gana y le dio la mano. Pero yo lo miré al fondo de los ojos y me di cuenta que estaba todavía lleno de rencor. Pensé para mis adentros: "Este individuo no es de fiar y no tardará en traicionar al señor Madero". En cambio yo, afligido por mi error, me maldecía por haber sido malo y estuve mortificado durante varias semanas, jurándome serle fiel al señor Madero de por vida.

Todavía cuando recuerdo lo que le hice a don Panchito Madero, siento como si se me oprimiera el corazón del que ahora carezco.

El 25 de mayo de 1911, Porfirio Díaz renunció a la presidencia de la República y le fue tomada la protesta al señor De la Barra como presidente provisional. El día anterior en Chihuahua, ya en poder del señor Madero, fueron licenciadas las tropas que operábamos en la región, y delante de don Abraham González cada soldado revolucionario entregó su rifle y recibió un pago de retiro de cincuenta pesos.

La generosidad de don Panchito Madero fue tan grande, que en vez de dejarme sin un centavo, como me lo merecía por mi desobediencia y por el amago contra su vida en el edificio de la Aduana, me regaló diez mil pesos. Del gusto, el corazón quería chispárseme del pecho y lo primero que hice fue ir a su pueblo por Luz Corral, para matrimoniarnos.

No se me olvida que el padrecito que ofició la boda, un sacerdote de apellido Muñoz, me preguntó un día antes de celebrarse la ceremonia:

–¿Se va a confesar, coronel?

Yo, riéndome entre mí, le contesté más o menos:

–Mire, padrecito, para confesarme cabalmente necesitaría usted cuando menos ocho días, y como usted sabe, todo está pagado y arreglado para que la boda sea mañana. Además necesitaría usted tener un corazón más grande que el mío para que yo le contara todo lo que Diosito me ha dado licencia de hacer. Así que póngale a montón para que iguale, deme ahorita mismo su perdón y todos contentos.

También me acuerdo de que al regresar al pueblo de San Andrés, se me presentó un titipuchal de viudas y esposas de mis soldados, diciéndome que no tenían para comer, pues sus maridos habían muerto o se habían gastado los cincuenta pesos del licenciamiento en la maldita borrachera. No podía dejar las cosas así. Y ordené que de mi dinero se compraran mil quinientos hectolitros de maíz y los repartí entre los habitantes del pueblo.

Además, organicé en la ciudad de Chihuahua una bonita corrida de toros a beneficio de las viudas y huérfanos de mis seguidores. Y adopté a la familia de José Sánchez, un viejo amigo mío que cayó luchando en la toma de Ciudad Juárez. Era lo menos que podía hacer por la memoria de un hombre tan leal y valiente.

La casa que tenía en Chihuahua y donde vivía con mis hermanos, no era sino un solar bastante amplio, con tres piezas blanqueadas de cal, una cocina y un machero para mis caballos. Para tener contenta a mi esposa, le hice construir allí una finca a su completo gusto, a la que le puse en su honor la Quinta Luz. Yo mismo le metí mano a la obra como albañil. Se lo merecía, porque fue una señora muy buena que nunca me dio motivos de disgusto. Jamás fui tacaño con nadie. Mucho menos con las mujeres, que tampoco fueron tacañas conmigo de lo que más me gustaba de las hembritas y que ya se imaginarán ustedes qué cosa era.

Y como en esos tiempos había en distintos pueblos de Chihuahua otras muchachas bonitas que también me agradaban, y fui un hombre muy querido y querendor, también me matrimonié con ellas y les puse casa; pero eso sí en sus propios lugares y sin llevarlas para nada a la capital del estado, pues no era cosa de ofender o hacer sufrir a Lucecita. De estas segundas esposas, la más chula y de mejor carácter fue Juana Torres, antes de que se volviera una cabrona.

A Luz y a mí nos gustaba mucho la ropa mexicana, por lucidora y elegante. Así que a ella le compré un lujoso traje lentejueleado de china y adquirí para mí un traje de charro con botonaduras de plata.

Don Panchito Madero me había regalado, además de los quince mil pesos, un caballo de raza, de nombre "Garañón", un animal tan entendido que cuando mi caballerango se olvidaba de darle de comer a sus horas, se acercaba a la puerta del pasillo que comunicaba con la caballeriza y daba en ella tres patadas para pedir su pastura. ¡Cómo me hacía reír ese caballo!

Otro de mis orgullos era mi gallera, con muy buenos ejemplares de pelea, de los cuales el más fino era uno llamado "El Cubano Hermoso", al que yo mismo alimentaba, entrenaba y curaba cuando salía herido en algún encuentro.

A mi mujer le compré su máquina de coser y una guitarra, instrumento que la Güera sabía tocar bastante bien, acompañándose para cantar con su voz entonadita y dulce. Hubo una romanza entonces de moda que a mí me gustaba mucho, la de las palmeras, y que a cada rato le pedía que me cantara. Y ahora que ha pasado tanto tiempo y carezco de oídos pero no de recuerdos, su letra me regresa una y otra vez a la cabeza:

> Bajo las sombras de las palmeras
> que el agua alegre mueve al pasar,

a donde llegan las plañideras
notas rugientes del fiero mar.

Bajo esas olas que el mar provoca,
sin más testigos que el mar y Dios,
mil besos traigo para tu boca
y mil plegarias para tu amor.

A mediados de julio de 1911, la Güera y yo salimos en ferrocarril a la ciudad de México, a cumplirle con su viaje de bodas y a conocer la capital del país, población muy grande que a Lucecita le gustó mucho y a mí no tanto, por ser sobre todas las cosas un hombre de campo. Visitamos Chapultepec, Xochimilco y la Villita de Guadalupe. Fuimos también a los teatros y los museos. Luego salimos para Tehuacán, en el estado de Puebla, donde en una quinta campestre se encontraba el señor Madero, quien nos invitó a pasar unos días con él y su familia. Muchas muestras nos dieron de su aprecio.

De regreso en Chihuahua, me dediqué a una vida sencilla y laboriosa. Acostumbrado a madrugar, me levantaba a las cuatro de la mañana y me iba a mi rancho a escojer el ganado que había de sacrificarse para surtir los expendios de carne de mi propiedad. Comía siempre en la casa y me acompañaban a la mesa la Güera, mis hermanos y algunos amigos. Me gustaba que platicáramos de muchas cosas; pero no dejaba que se hablara de política, pues estaba convencido de que la Revolución era asunto del pasado.

Se ha dicho que en 1912, cuando estuve encerrado en Tlatelolco, aprendí a leer y a escribir. No es cierto. La verdad es que la lectura y la escritura las aprendí en esa época tranquila en Chihuahua. Lo que Gildardo Magaña me inculcó en la prisión militar fue el gusto por la lectura de libros importantes. Pero ya les contaré de eso más adelante.

Como les he referido, estaba con la idea de que la bola era cosa del pasado. Sin embargo, muy adentro de mi corazón extrañaba el mando de los contingentes, el cariño y la lealtad de mis muchachitos, las descargas parejas de la fusilería, las voladuras de trenes, la tracatera de las ametralladoras y, sobre todo, las cargas de mi caballería atronando la llanura como si fuera el tambor más grande de la Tierra. Y también el rugir de los cañones, la sangre caliente de los chingadazos y la matazón, y el gusto de las batallas en las que acaba uno por romperle la madre al enemigo. Nunca he negado que fui un asesino y un sanguinario. Si hubiera sido bueno no estaría en el infierno.

CAPÍTULO TERCERO

SE EQUIVOCÓ LA MUERTE

El señor Madero ocupó la silla presidencial el 6 de noviembre de 1911. Por fin, pensé, habrá justicia para los pobres y los jodidos de México. Lo cierto fue que unas semanas depués don Panchito me mandó llamar a la ciudad de México. Y una mañana de finales de noviembre, muy temprano, me presenté en su casa particular, en la calle de Berlín, a saber lo que deseaba de mí el jefe y dispuesto a cumplir sus órdenes.

El señor presidente me recibió con mucho cariño y me invitó a desayunar más tarde en el castillo de Chapultepec. Finalizado el desayuno, me dijo:

–Te he mandado llamar porque tengo información de que Pascual Orozco anda en pláticas con los Terrazas y los Creel, los riquísimos terratenientes de Chihuahua, quienes le han calentado la cabeza haciéndole creer que él es el verdadero héroe de la Revolución, y ofreciéndole fuertes sumas de dinero para que se rebele en contra de mi gobierno.

¡Como yo lo había pensado, el grandísimo traidor de Orozco demostraba abiertamente su deslealtad! Sin dudarlo ni un momento, le respondí al señor Madero:

–Usted y su gobierno cuentan conmigo de corazón.

Don Panchito me tendió los brazos, diciéndome:

–Ven a mis brazos. Esto es precisamente lo que yo esperaba de ti, Pancho. Regrésate a Chihuahua y estáte muy pendiente de lo que haga Orozco, para que me lo comuniques.

Volví a Chihuahua, donde el hijo de perra de Orozco trató de ganarse mi voluntad con promesas y aduladas. Yo, chucha cuerera, le di por su lado para descubrir mejor el fondo de sus intenciones, aunque sin comprometerme con él, informándole de todo ello al señor Madero por medio del telégrafo.

Decidido a levantarse contra el gobierno, Orozco, quien tenía el cargo de comandante de los rurales en Chihuahua, me pidió hombres y armas con el cuento de que eran para batir a los enemigos del gobierno. Enchilado con este hombre tan insincero, no pude más y le dije con voz golpeada:

"Mire, compañerito Orozco, si tiene usted pensado traicionar al gobierno del señor Madero, ya no se haga pendejo, quítese la careta y pórtese como hombrecito".

Pero Orozco, hipócrita por naturaleza y de sangre fría como el reptil que era, no se dejó turbar por mis palabras de enojo y siguió tratando de enredarme en sus engaños. Así que lo dejé hablando solo y me dispuse a salir de la ciudad de Chihuahua en compañía de once de mis hombres más fieles, decidido a organizar tropas para combatir a ese ingrato. Y para que no le cupieran dudas sobre mi posición, le envié un mensaje en el que le decía:

"Sépase, señor Orozco, que no soy tapadera de sinvergüenzas. Ai lo dejo con sus malas intenciones y sus gentes, y me retiro al desierto para probarle que yo sí soy un hombre de honor. Ya nos veremos las caras, hijo de tal".

El infame de Pascual Orozco tenía una terquedad digna de mejor causa. Y me mandó a su propio padre a hacerme nuevos ofrecimientos, cuando me encontraba en el rancho de San Juan de la Santa Cruz, reuniendo tropas. Igual de labioso que su hijo, el viejo me dijo:

–Coronel Villa, usted sabe bien que mi hijo y yo lo hemos querido mucho y lo seguimos queriendo. Vengo de parte de Pascual y también de parte mía, a pedirle que no secunde ya al señor Madero, ese mal hombre que no ha cumplido lo que nos prometió. Traigo instrucciones de mi hijo de ofrecerle a usted trescientos mil pesos para que se vaya a vivir a lo grande a los Estados Unidos, o para que se quede aquí en Chihuahua a vivir tranquilo, prometiéndonos no mezclarse en nuestros asuntos en la situación que hoy se presenta.

Sin andarme por las ramas, le contesté:

–Mire señor, el gobierno de don Francisco I. Madero es un gobierno puesto por el pueblo, y le dimos nuestro apoyo su hijo, usted mismo y yo. No sé si ese gobierno sea bueno o malo, porque todavía no es tiempo para juzgarlo por sus hechos. Si ustedes piensan de una manera, yo pienso de otra distinta. Vaya y dígale a su hijo que a mí no se me compra con dinero, por alta que pongan la cantidad, y que viva seguro de que si antes fuimos compañeros de armas, ahora vamos a tener la oportunidad de darnos muchos tiritos. Dele pues el resultado de su comisión. Y créame que si no me aprovecho de las circunstancias, mandándolo al paredón, es porque soy un hombre de honor y porque usted es un pobre viejo. Pero si no quiere que con todo eso y me arrepienta de mi decisión y ordene fusilarlo ahorita mismo, no me hable ni una palabra más del encargo de su hijo.

Y como estaba haciendo mucho frío, le di al padre de Pascual Orozco una cobija para que se cubriera en su viaje de regreso al campamento de su hijo. No dejaba de darme lástima que aquel anciano anduviera, por culpa del cabrón de su hijo, en esos tristes pasos.

El alzamiento de Orozco se produjo el 3 de marzo de 1912. Secundado por Benjamín Argumedo, Emilio Campa y Marcelo Caraveo, el maldito Orejón, al mando de seis mil hombres, anduvo diciendo que llegaría hasta las gradas del castillo de Chapultepec para exigirle su renuncia al señor Madero y ponerse él en su sitio.

Al saber de estas palabras, me dije: "Sólo sobre mi cadáver, jijo de tu chingada madre".

Eran muchas las gentes que seguían a Orozco, pues anduvo repartiendo el mucho dinero que le dieron los Terrazas y los Creel para convencer a los necesitados y a los indecisos de que lo siguieran. Y en poco tiempo se apoderó de casi todo Chihuahua, apoyado por la legislatura local y por los antiguos cabecillas revolucionarios José Inés Salazar y Cheché Campos.

Yo seguí en la lucha, aunque de modo bastante disparejo, pues llegué a quedarme con sólo sesenta hombres. Pero echándole valor al asunto y secundado por Maclovio Herrera, con esos pocos elementos ataqué Parral, ciudad que se hallaba defendida por cuatrocientos elementos al mando del traidor José de la Luz Soto.

Al frente de mis sesenta hombres, todos a caballo, embestí por sorpresa y sin dificultad la plaza cayó en nuestro poder. Pude así surtirme de muy buen armamento que me permitió equipar a cerca de quinientos hombres, voluntarios de Parral y poblaciones cercanas que se presentaron gustosos, gritando: "¡Viva Villa!" o "¡Vámonos con Pancho Villa!"

Tomé entonces por primera vez la providencia, que luego se me hizo costumbre, de mandar traer a todos los ricos del lugar, obligándolos a reunir entre todos un "préstamo forzoso" de cincuenta mil pesos, con los que pude cubrir los haberes de mi tropa y dotarla de lo que hacía falta.

Mientras tanto, las tropas enviadas por el señor Madero sufrieron un descalabro muy serio. Se trataba de dos mil soldados bien equipados, a los que se les agregaron en Torreón las columnas de caballería de los generales Joaquín Téllez y Fernando Trucy Aubert. Estas fuerzas disponían de una excelente artillería y abundantes municiones, e iban al mando del secretario de la Guerra, general José González Salas, a quien acompañaba el experimentado general Aureliano Blanquet. Los trenes que los conducían salieron lentamente de Torreón, internándose en el desierto, rumbo a Ciudad Jiménez, reducto de los orozquistas.

El lunes 25 de marzo de 1912, el convoy gobiernista al mando de González Salas se detuvo en el kilómetro 1313, para que el secretario de la Guerra y sus generales que iban en los distintos trenes se reunieran a conferenciar. En ello estaban cuando los orozquistas les lanzaron una carga de caballería que fue rechazada. Uno de los heridos capturados en esa acción reveló que el coronel orozquista Emilio Campa preparaba una máquina cargada de dinamita para estrellarla sobre los trenes del gobierno. Sin pérdida de tiempo, González Salas ordenó cortar la vía y protegerla con grandes cadenas.

A las diez de la mañana del siguiente día vieron precipitarse a toda velocidad a la máquina loca cargada de dinamita, que en vez de voltearse al llegar a los cortes de la vía, dio un salto increíble e infernal, se encarriló de nuevo y fue a chocar, en medio de una espantosa explosión, contra los trenes de González

Salas, causando gran destrucción y mortandad. En ese mismo momento aparecieron grupos de orozquistas a caballo, que hicieron desbandarse a los hombres de Trucy Albert y retroceder a los de Blanquet, quienes dejaron abandonada su artillería.

Después de cuatro horas de combate, las tropas del gobierno maderista fueron vencidas, viéndose obligadas a retirarse a Torreón. El general José González Salas no soportó la humillación de la derrota y se suicidó de un tiro.

Ante estos hechos, el señor Madero determinó mandar para que combatiera a Orozco, al general de brigada Victoriano Huerta, con fama de muy buen militar. Este hombre, que tantos problemas y sufrimientos habría de causarme, llegó a Torreón a fines de abril de 1912, al mando de una fuerza de cinco mil hombres perfectamente equipados. Yo, junto con mi ascenso a general brigadier, recibí la orden del señor Madero de ponerme a disposición de aquel individuo desagradable, que acostumbraba mirar altaneramente a través de sus espejuelos de color verde.

Huerta me recibió en el vagón de ferrocarril que le servía de despacho. Era un hombre de más de sesenta años, de rostro aindiado y catadura repulsiva.

Yo le dije:

–General Huerta, soy Francisco Villa y vengo a ponerme a sus órdenes para seguir peleando por el señor Madero.

Me miró de arriba a abajo con una mirada despreciativa y dijo con un tonito de burla que mucho me molestó:

–Ah, vaya, ¿así que usted es el "general honorario"?

A las primeras de cambio me di cuenta que el tal Victoriano Huerta era un completo desgraciado. Porque "militares honorarios" nos llamaban los militares de carrera, con un retintín de choteo, a los revolucionarios sin estudios que nos habíamos hecho en la lucha. Por esa burla inicial, por su arrogancia, por su cara de pocos amigos y por su desmedida inclinación a las bebidas alcohólicas, Huerta me fue antipático. Y tuve que echar mano de toda mi paciencia y mi lealtad a Madero, al que juré obedecer sin condiciones, para no retirarme de los contingentes bajo el mando del general Huerta.

Mis hombres y yo fuimos incorporados a la columna comandada por el general Fernando Trucy Albert. Y debo decirles, sin faltar a la verdad, que tuvimos un desempeño excelente en el combate de Tlahualillo, donde hicimos huir a los orozquistas, que dejaron en nuestro poder seiscientos caballos, diez carros con bastimento y muchos rifles y municiones; y en la batalla de Conejos, en la que con el apoyo de la artillería del coronel Guillermo Rubio Navarrete, lancé mis cargas de caballería, ochocientos jinetes contra los mil seiscientos del enemigo, haciendo huir a los orozquistas en dispersión total y tomándoles ochenta prisioneros que fueron fusilados por órdenes de Victoriano Huerta.

A pesar de nuestros triunfos indiscutibles, mis oficiales y yo éramos tratados con impertinencia y desdén, no sólo por el general Huerta sino también por su oficialidad. Un día, cuando me encontraba recostado, reposando de la dura batalla de Conejos, un teniente coronel de apellido García Hidalgo, jefe del Estado Mayor de Huerta, me habló con majadería, acusándome de güevón.

No pude contenerme y le contesté:

–Mire, coronelito, no sea mitotero ni me hable con esa altanería. Únase a mi columna y vamos juntos a pegarles a los orozquistas. Así sabrá usted de una buena vez lo que son los hechos de los hombres y no volverá a presentárseme con tanta soberbia, ni con tantas voces.

El currito aquél me gritó entonces:

--¡Es que soy el jefe del Estado Mayor del general Huerta!

Agotada mi paciencia, le respondí:

–¡No me diga! ¡Lo que es usted es un tal por cual y ahorita mismo se me va a quitar de enfrente, pues no quiero que perturbe mi descanso después de haber peleado todo el día! ¡Hágame pues el favor de irse mucho a la chingada!

El tenientito coronel se achicó ante mis palabras y se marchó de allí con la cola entre las piernas.

De Conejos, mis hombres y yo salimos, cumpliendo órde--nes de Huerta, por el flanco derecho de sus trenes, quinientos metros adelante del convoy y desplegada la caballería en línea de tiradores.

De esa manera nos acercamos al lugar llamado Escalón, en cuyas cercanías acamparon mis fuerzas para pasar la noche. Don Victoriano se presentó para decirme:

–General Villa, tenemos al enemigo en Escalón. Si nos ataca por sorpresa esta noche, lo hago a usted responsable de lo que ocurra.

Le contesté:

–Viva usted seguro, mi general, de que el enemigo no va a tomarnos por sorpresa, y de que si nos ataca le va a costar muy caro.

Esa noche establecí tres avanzadas de caballería en puntos estratégicos y destaqué vigilancia en los sitios que lo juzgué conveniente. Y me dediqué a supervisar en persona el servicio hasta las tres de la mañana, hora en que fui relevado por mi compadre Tomás Urbina.

A la mañana siguiente me presenté ante Huerta para informarle que nada anormal había ocurrido durante la noche. Don Victoriano, quien ya a esa hora se encontraba ebrio, se limitó a ordenarme:

–Para la una de la tarde usted y el general Antonio Rábago me toman Escalón.

–Se hará como usted manda, señor general –le respondí.

Fue verdaderamente fácil tomar Escalón y no perdimos en esa acción ni un solo hombre, pues el enemigo, al vernos avanzar, abandonó la plaza sin combatir y la ocupamos antes de la hora ordenada por Huerta.

Cuando me presenté a rendir mi parte militar, don Victoriano me ordenó que al día siguiente avanzara sobre Rellano, aquella estación de ferrocarril situada en un cañón sinuoso, desde donde partiera la máquina loca que tantos daños causó en las filas del desaparecido general González Salas. En el Rellano se encontraban atrincherados considerables contingentes del Orejón Orozco.

Regresé con unos cables chamuscados y se los mostré al general Huerta. Era la prueba de que los colorados habían rellenado con dinamita unos hoyos debajo de la vía, colocando a media legua los dispositivos para hacerla estallar.

Huerta le ordenó al general Rábago que sacara de allí la dinamita, y a mí me dijo: "Marche usted ahora mismo con sus hombres, y conforme avancen, proporcione al teniente coronel Rubio Navarrete los informes para que pueda emplazar con mayor ventaja sus cañones para batir al enemigo".

Se dispuso que mi brigada se lanzara al ataque apoyada por la artillería de Rubio Navarrete. ¡Maldito Huerta, desgraciado borracho! Enviarnos en esa forma era convertirnos en carne de cañón y dejar que los colorados acabaran con nosotros en un santiamén. Pero no les dí ese gusto, pues maniobrando con maña, audacia y destreza, en pocas horas mis muchachitos, valerosos y buenos conocedores del terreno, hicieron huir en desbandada a las tropas de Orozco, que dejaron en nuestro poder seiscientos prisioneros, tres cañones, dos locomotoras, bastantes carros de ferrocarril, cuatrocientos rifles y seis mil cartuchos. Todavía enardecidos y con muchas ganas de seguir peleando, unos treinta de mis jinetes, por propia voluntad, siguieron por un buen trecho a los orozquistas, gritándoles: "¡Pancho Villa es su padre, colorados jijos de la tiznada!" Regresaron con veintitrés prisioneros más, dos ametralladoras y diversos pertrechos.

En su retirada, los orozquistas iban levantando la vía y quemando los puentes. Yo le propuse al general Huerta enviar todas las caballerías a batirlos y derrotarlos definitivamente. Pero don Victoriano, que a esa hora ya se encontraba bastante tomado, me barrió con una mirada con la que me daba a entender que nada valía yo, y dijo con voz tartajosa que allí las órdenes las daba únicamente él.

Sentado a sus anchas en el sillón de su carro pullman y consumiendo botella tras botella de coñac, divisaba el horizonte con sus anteojos de larga vista, sin mostrar apuración porque volviéramos al combate. Pensé para mí: "Este señor general se la pasa nomás bebe y bebe. Por lo visto, quiere que yo solo le gane sus batallas".

Un día, Huerta nos ordenó al general Rábago y a mí que fuéramos a Parral a establecer autoridades. Mi caballería marchó a la vanguardia. Y como los habitantes de Valle de Allende supieron de mi paso por el lugar, se prepararon a recibirme con grandes muestras de cariño y simpatía. Y al llegar con mis muchachitos, una multitud de hombres, mujeres y niños nos encontraron para hacernos entrega de ramos de flores y palabras de afecto y admiración. Me emocioné mucho con aquellas demostraciones nacidas del corazón de las gentes del pueblo, tan sencillas como yo mismo. Pero quise evitar el encelamiento de Rábago y sus hombres, que venían a retaguardia. Les rogué pues a esas bondadosas personas que homenajearan también a Rábago y sus elementos, reservándose las flores para ellos.

Aquellas buenas gentes me decían:

–¡Pero si todas nuestras flores y todo nuestro cariño son para usted, Pancho Villa, y para sus hombres!

Entonces les dije:

–Pues muchas gracias y sépanse que su cariño está correspondido profundamente por mí. Pero si hacen lo que les pido, quedaré más honrado y satisfecho que si mis muchachitos y yo mismo recibiéramos sus flores tan chulas.

Ustedes comprenderán que si hice lo que les he relatado fue porque demasiado conocía la vanidad y el carácter resentido y quisquilloso de los oficiales y soldados huertistas. Por suerte, los habitantes de Valle de Allende hicieron lo que les pedí, cubriendo de flores a Rábago y a sus tropas, aunque tales individuos nada significaran para ellos.

Con este su noble proceder me evité de seguro muchas malas voluntades.

Una vez que nombramos a las autoridades de Hidalgo del Parral, Rábago y yo marchamos con nuestras fuerzas a Jiménez, donde para entonces acampaban los contingentes de Huerta. Al llegar a mi cuartel fui informado de que un oficial huertista se había llevado a una yegua que yo mismo recogí en el campo de batalla, alegando que era propiedad de los señores Russek, ricos hacendados de la región, a quienes pensaba devolverla, sin tomar en cuenta que esos tales hacendados eran enemigos del gobierno del señor Madero, y andaban en tratos con Pascual Orozco.

¡Estaba visto que no podría tener yo calma mientras anduviera con Victoriano Huerta y sus gentes!

Decidido a hacer valer mis derechos, esa tarde le dije a Huerta cuando fui a su vagón a recibir sus órdenes:

–Mi general, uno de sus oficiales sacó de mi cuartel una yegua que me hallé en el campo de batalla, y que antes era de unos hacendados enemigos del gobierno que tienen tratos con el Orejón Orozco. Pienso que esa yegua me pertenece como botín de guerra.

51

Don Victoriano se hallaba demasiado bebido y no lograba hilvanar dos ideas, contestándome con palabras inconexas pero dichas con su tono habitual de altanería. Nos hicimos de palabras y sólo ante la firmeza de mi razonamiento, dio muestras de entender y me dijo con voz estropajosa:

–No necesita orden mía para eso. Que le entreguen la yegua y váyase ya porque quiero descansar.

Le pedí a uno de mis asistentes que fuera a exigir la devolución del animal, y poco después la yegua fue regresada a mi poder.

Esa noche me encontraba en el catre, postrado por unas fuertes calenturas, cuando llegaron dos oficiales para decirme:

–Por orden de mi general Huerta que pase usted en seguida al cuartel.

Les contesté:

–Díganle al general Huerta que me disculpe, que estoy sudando unas calenturas y no puedo levantarme. Que me mande avisar por favor si el asunto es muy urgente, para levantarme con todo y sudores; y que si no lo es, iré a verlo mañana sin falta, pues a ustedes les consta cómo estoy sudando a chorros.

A la mañana siguiente, apenas salió el sol, me dirigí envuelto en una cobija al carro de ferrocarril en el que Huerta tenía su cuartel. Con toda hipocresía, el general me dio los buenos días, me pidió que lo esperara unos momentos y salió del vagón.

Un momento después, entraron los tenientes O'Horan y Castro, quienes me dijeron:

–Por orden superior está usted arrestado, entréguenos sus armas.

Tomado por la sorpresa, les entregué mi pistola y mi daga.

–Estas son mis armas, señores.

Me ordenaron bajar del vagón, rodeándome una escolta que me aguardaba abajo y que me condujo a unas tapias, no lejos de la vía. Al dar la vuelta a una de ellas, me encontré con que ya me tenían formado el cuadro para fusilarme.

El sargento del pelotón de ejecución se acercó a la tapia y con el marro trazó una cruz sobre ella. Luego se dirigió a mí, ordenándome que me pusiera al pie de la señal. Invadido por muchos sentimientos y pensamientos, pudo más mi ansiedad y le pregunté al coronel O'Horan:

–¿Quiere usted decirme, señor coronel, por qué razón van a fusilarme?

Si voy a morir, al menos quiero saber la razón. He sido un fiel servidor del señor Madero, he pasado muchos trabajos y peligros con ustedes. Y creo justo que por lo menos me digan la causa de que muera fusilado.

Y sin poder evitarlo, solté las lágrimas a raudales, no por el temor de morirme, ya que sabía bien que para morir hemos nacido; pero sí por la humillación y el dolor de verme tratado de esa manera.

Como O'Horan permaneció callado, me dirigí al coronel Castro, al que le dije:

–Señor coronel, quiero darle a usted mi último abrazo. Soy inocente, y si el Ejército Nacional tiene honor, ésta es una mancha que no merece el honor militar.

Muy conmovido, el coronel Castro me abrazó y me dijo:

–Perdónenos, general Villa, pero es orden superior. Entiendo que el general Huerta tomó por insubordinación y grave desobediencia de usted el que no se haya presentado anoche cuando lo mandó llamar.

O'Horan se acercó y le dijo a Castro:

–Esto es una infamia compañero. Detenga el fusilamiento y espere a que hable con el general Huerta.

O'Horan se fue y a los pocos minutos volvió, informándole a Castro con voz desalentada:

–Ni modo, el general Huerta manda que se cumpla la orden de fusilamiento de inmediato.

De nuevo el sargento me ordenó que fuera a colocarme al pie de la cruz trazada en la tapia. Ya lo hacía yo, cuando apareció el coronel Rubio Navarrete, quien me tenía ley. Llegaba corriendo y ansiosamente gritó:

–¡Un momento, señores, un momento! ¡Detengan la ejecución y déjenme hablar primero con el general Huerta!

Mientras Rubio Navarrete iba a interceder por mi vida con Victoriano Huerta, yo aproveché el tiempo para regalarles mi reloj y el dinero que llevaba encima a los soldados del pelotón de fusilamiento.

Momentos después Rubio Navarrete regresó y dijo:

–Es orden del general Huerta que se suspenda la ejecución y el prisionero sea llevado a su presencia.

Una vez ante Victoriano, le reclamé:

–¿Por qué manda usted que me fusilen? ¡No sea ingrato! ¿Acaso no he sido un hombre leal con el señor Madero y con usted? ¿He cometido algún acto fuera del cumplimiento de mi deber? Dígame, señor, ¿por qué me quiere fusilar?

Huerta, borracho como de costumbre, respondió antes de volverme la espalda y salirse del vagón:

–Porque así lo exige mi honor militar.

–¡Su honor militar! ¡Como si un hijo de puta de su tamaño pudiera tener honor de alguna clase!

Fui llevado otra vez al maldito paredón. Y ya el sargento había gritado:

"¡Preparen armas!", cuando Emilio y Raúl Madero, los hermanos del presidente, llegaron a toda prisa. Habían conseguido ponerse en comunicación con don Panchito Madero y éste ordenó que el fusilamiento se conmutara.

Ese día viví varias veces el sufrimiento del fusilado. Morir no es difícil. Se los dice alguien que ya murió y tiene muchos años de muerto. Pero es horrible que lo lleven a uno al paredón, que luego le suspendan la ejecución y que un momento después vuelvan a disponerla; y que de nuevo vuelvan a detener el fusilamiento, sólo para reiniciarlo unos minutos más tarde. Y cuando al fin lo cancelan, no lo quiere uno creer.

¡Si vieran cuántas cosas piensa y recuerda uno frente al pelotón de fusilamiento! Mientras esperaba la descarga que no se produjo, no dejaba de entristecerme que toda la aventura de mi vida fuera a terminar en nada, sin haber logrado ni un poquito la felicidad y el bien de mi patria.

Llegó a buscarme la muerte; pero se equivocó de hora, de día y de año. Y pienso que si equivocada y todo, me hubiera tocado entonces, no estaría yo en el infierno. Por que a mediados de 1912 no eran tan negros ni tan graves mis pecados, y seguramente aquella muerte tan improcedente e injusta me habría valido ante Dios.

CAPÍTULO CUARTO

TRAS LAS REJAS

No sabía qué pensar, no quería ni pensar, pero pensaba a todas horas aunque no lo quisiera. Porque junto con la orden del señor Madero de que se conmutara mi fusilamiento, llegaba su disposición de que se me remitiera a la ciudad de México para ser juzgado por el delito de desobediencia militar.

Por momentos me imaginaba que al llegar a la capital del país, don Panchito iba a abrirme los brazos como las veces anteriores y a regalarme su sonrisa cariñosa. Pero luego suponía que en mi rudeza y mi ignorancia había yo cometido alguna falta involuntaria cuyo tamaño no se me alcanzaba, y por la que tal vez se me castigaría con la pena de muerte al llegar a México. Y me escocía la seguridad de que la amarga situación por la que pasaba se debía a la malquerencia de Victoriano Huerta, que sabe Dios qué falsedades le diría de mí al presidente para volverlo en mi contra. Y el corazón me avisaba que un hombre tan desprovisto de vergüenza acabaría por hacerle mucho daño al bueno del señor Madero.

Todo esto y muchas cosas más pensaba mientras, bajo custodia, me mantenía en espera de ser llevado a la ciudad de México, para pagar culpas cuya naturaleza se me escondía.

Al coronel Guillermo Rubio Navarrete, que tanto se esforzó por salvarme la vida, le regalé gustosamente a "Garañón", el mejor de mis caballos, junto con mi espada, a la que le tenía yo gran aprecio. Además le dije que considerase suya una de las casas que tenía en Chihuahua, y de la cual le mandé en cuanto pude las escrituras.

Antes de subir al tren en el que se me llevaría escoltado hasta la ciudad de México, pedí permiso para despedirme de mis muchachitos. No ignoraba que una palabra mía hubiera bastado para que mis hombres se echaran encima de mis captores, dispuestos a hacerlos pedazos. Pero mi fidelidad a Madero era inquebrantable. Así que les dije:

"Muchachitos, mi gratitud con ustedes es algo tan grande que no podría decírselas con palabras. Ustedes me han acompañado en todas mis penalidades y han batallado a mi lado al servicio de la causa del pueblo. Han sido buenos soldados y amigos de a de veras. Ignoro la suerte que me espera, pero cualquiera que sea mi destino les pido lealtad absoluta al gobierno del señor Madero, porque éste es el camino correcto. Recuerden como los quiero y..."

No pude continuar, pues el jefe del Estado Mayor de Victoriano Huerta me interrumpió diciéndome:

–Ya estuvo bueno, señor, ya estuvo bueno.

–Como usted ordene, mi teniente –dije y subí al tren.

El viaje hasta la capital de la República fue para mí demasiado penoso, molestándome mucho la curiosidad de las gentes en las poblaciones en las que el convoy se detenía. Me sentía profundamente avergonzado. Y al llegar a la ciudad de México, me negué a hablar con los periodistas y a que me retrataran para los periódicos, exclamando:

"¡Caramba, tras de que viene uno en desgracia, todavía le quieren remachar el clavo!"

Mi esposa Luz, que me siguió hasta México, me propuso:

–Déjame ir a interceder por ti con el señor Madero.

Le dije:

–Te voy a suplicar, Güera, que no le vayas a ver la cara a nadie. A Pancho Villa podrá habérsele acabado la suerte, pero no la dignidad.

El 7 de junio de 1912 fui internado en la Penitenciaría del Distrito Federal. Cuatro días después me fue tomada mi primera declaración por el juez militar Santiago Méndez, un curro joven y de buenos modales.

En respuesta a sus preguntas, le di los detalles de mi aprehensión y de mi fusilamiento varias veces interrumpido. Confiaba en que después de escucharme ordenaría mi libertad, cosa que no ocurrió.

Una semana más tarde, volví a comparecer ante el mencionado juez, quien de buenas a primeras me dijo:

—Confiéseme por qué razón saqueó usted Parral y luego cuénteme cómo estuvo su desobediencia al general Huerta y su insubordinación.

Le respondí:

—Créame, señor juez, que jamás he saqueado Parral y que el dinero que allí tomé, no lo robé, fue un préstamo que les impuse a los ricos del lugar para los gastos de la guerra y con autorización del gobernador del estado, don Abraham González, como puede probárselo ese señor. Se necesitaba ese dinero para las tropas, pues la guerra tiene sus propias leyes y no progresa sin dinero. Conforme a mi juicio, lo que hice no fue robar, porque ¿cómo había de saquear a una población a la que quiero tanto y en donde tengo muchos amigos? En cuanto a la desobediencia y la insubordinación de que se me acusa, todo es obra de la mala voluntad que me tiene el señor general Huerta, quien nos desprecia a los que no estudiamos la carrera de las armas y somos pueblo metido a la Revolución. Soy leal al señor Madero y si hubiera querido insubordinarme me hubiera ido con Pascual Orozco, que buen dinero me ofreció para que lo hiciera.

Contra mis deseos y advertencias, la Güera intentó "verle la cara" al señor Madero, acudiendo a su casa particular con el fin de suplicarle que me pusiera en libertad. Pero ya para entonces don Panchito estaba bajo el influjo maligno de Victoriano Huerta, y ni siquiera quiso recibirla.

Pasaron los meses y yo seguía preso en la Penitenciaría, hasta que el 7 de noviembre fui trasladado a la prisión militar de Santiago Tlatelolco, donde me destinaron un alojamiento independiente, que mandé limpiar y pintar por mi cuenta.

En la prisión de Tlatelolco conocí a Gildardo Magaña, un joven profesor también recluido en ese penal. Hombre instruido, tenía en su celda algunos libros muy buenos, de los que primero me leyó *Los tres mosqueteros*, y luego la historia de *Don Quijote de la Mancha*. Tanto me gustó este libro, que le pedía al maestro Magaña que me lo leyera una y otra vez. ¡Qué bonitas las aventuras de ese hombre tan deschavetado y tan bueno, y cuánta falta le hacen al mundo personas así! Me quedé boquiabierto cuando un día el profesor me dijo:

"¿Sabes, Pancho? Este libro lo escribió un prisionero. Uno que, como nosotros, padeció cárcel injusta".

Gildardo Magaña, muy muchacho todavía pero bastante leído, me relataba también la historia de México y me contaba de los grandes hombres como el cura Hidalgo, Morelos y Benito Juárez. Y me hablaba de Emiliano Zapata y de su plan de reforma agraria. Y lo que Magaña me contó de los abusos cometidos por los hacendados del estado de Morelos, y de la manera esclavista como siempre se había tratado a los campesinos de aquellos pueblos, me hicieron comprender la justicia que había en la rebelión de don Emiliano, y simpaticé con toda mi alma con ese caudillo, al que los periódicos de México pintaban como un monstruo de maldad, achacándole los mayores crímenes.

¡Tantas cosas buenas que había por hacer en México! ¡Y yo encerrado y sin poder ayudar en nada a mi país! Tenía que escaparme a como diera lugar. Y así se lo hice saber a Lucecita, quien no dejaba de visitarme.

—He decidido fugarme de aquí, Güera, así es que regrésate a Chihuahua, pues si Dios me ayuda pronto nos veremos allá.

Sin dudar ni un momento de lo correcto de mis intenciones, la Güera me contestó:

—Te esperaré en Chihuahua, Pancho. Procura regresar pronto. Tomé esta determinación porque pasaba el tiempo y no se me hacía justicia. En Santiago Tlatelolco la vigilancia era menos estricta que en la Penitenciaría. Y tomaba en cuenta el ofrecimiento que me hizo Carlos Jáuregui, un muchacho escribiente de la prisión, que un día me dijo cuando estábamos a solas:

—Mi general, ¿por qué no se escapa usted de esta prisión? Según va de lento su proceso, nunca van a soltarlo. Si usted quiere, yo lo ayudo a fugarse. Limo uno de los barrotes de la reja del juzgado y por la oficina nos salimos los dos a la calle. Téngame confianza y verá que no se arrepiente.

Le contesté como si me hubiera dicho una broma:

—¡Ándele, ándele, qué cosas me dice!

Ya era entonces un buen conocedor de hombres y al muchacho lo sentí sincero. Por eso, días después me le acerqué para decirle en voz baja:

–Mire, amiguito, he pensado mucho en ese asunto de la escapada y en el ofrecimiento que me hizo.

Jáuregui me respondió:

–¡Qué bueno que me tenga confianza, general! Tenga por cierto que no lo defraudaré. Usted nomás me ordena cuando empiezo a limar el barrote.

Por consejo del juez, le había escrito una carta al señor Madero, explicándole la realidad de mi situación y el origen de mis contrariedades, que no era otro que la malquerencia del general Huerta. También le decía en esa carta, por consejo del juez, que siendo yo un acusado militar, estaba en la voluntad del presidente de la República anular el proceso y ordenar mi libertad.

Pero pasaron las semanas y, con gran mortificación, me di cuenta de que don Panchito Madero no se dignaba siquiera darse por enterado.

Perdida la esperanza de que el presidente me pusiera en libertad, una mañana le dije al escribiente:

–Fíjese, amiguito, que ya me decidí de plano a huir con su ayuda. Lime pues el barrote y que sea lo que Dios quiera.

Y riéndome guasonamente, agregué:

–¿No le parece que viéndome salir de la cárcel con usted me van a tomar por un licenciado?

El muchacho era listo y me dijo:

–Pues fíjese, general, que no es mala idea que lo tomen por un licenciado. Se va a disfrazar de licenciado y le voy a llamar así cuando salgamos por la oficina del juzgado. ¿Qué le parece señor licenciado don José de Jesús Martínez?

Convencido, le dije:

–Me parece perfecto, amiguito. Desde ahora seré para usted el licenciado José de Jesús Martínez.

Ese mismo día detallamos el plan.

Una vez que estuviera limada la reja, el día de la escapatoria me pasaría por el hueco a la oficina del juzgado, a eso de las tres de la tarde, hora en que los empleados acostumbraban salir a comer. Allí me pondría las ropas que me darían aspecto de licenciado y saldría a la calle en compañía de Carlitos, quien al pasar frente a la guardia me hablaría en voz alta de leyes y procesos, dándome el tratamiento de "licenciado Martínez".

Una vez en la calle, tomaríamos un coche enviado por mi hermano Hipólito.

Le di dinero a Jáuregui para que me llevara dos pistolas y cien cartuchos, y le encargué también que me comprara y escondiera en buen lugar las ropas para mi disfraz de licenciado.

La limadura del barrote de la reja fue muy trabajosa. Las seguetas se le rompían a Carlitos y aunque las untara de aceite chirriaban mucho, por lo que solamente podía limar a la hora en que la banda atronaba los aires con el toque de rancho. Luego tapaba con mastique del mismo color la limadura que había hecho.

Para entretener mi espera y no estarme de ocioso, me puse a aprender a escribir en máquina y algo de contabilidad, conocimientos que cuando recobré mi libertad me fueron muy útiles. Las clases me las daba, con autorización del juez, un empleado del juzgado. Y la escribidera la practicaba en una máquina que le encargué comprar a mi hermano Hipólito.

Igualmente me entretenía platicando con el general Bernardo Reyes, preso también en Tlatelolco. Según él mismo me contó, este general, antiguo gobernador porfirista de Nuevo León, intentó sublevarse en el norte del país, en noviembre de 1911. La suerte le fue contraria, pues en San Antonio, Texas, adonde fue con la idea de comprar armas y reunirse con partidiarios suyos, las autoridades gringas lo detuvieron por violar las leyes de la neutralidad. Liberado al fin por los gabachos, pasó la frontera en diciembre de ese año, y cuando estuvo en tierra mexicana aguardó inútilmente el alzamiento de sus partidarios. Sólo veinte hombres lo siguieron, y con ellos anduvo por las rancherías de Nuevo León y Tamaulipas, sin conseguir seguidores. Ya completamente solo, el 25 de diciembre resolvió entregarse a las autoridades, en Linares, de donde fue conducido a la prisión militar de Santiago para ser sometido allí a consejo de guerra.

Varias veces hablamos, dándome cuenta de que al tal don Bernardo le interesaba ganarme para su causa, pues era notorio que conspiraba dentro de la prisión, deseoso de echar por tierra al gobierno del señor Madero. Él mismo me confesó que andaba en tratos con Félix Díaz, sobrino nada menos que del depuesto dictador Porfirio Díaz, y hombre que hizo defeccionar en Veracruz a una parte del ejército federal, aunque por fortuna el alzamiento fue rápidamente sofocado. Yo escuchaba con atención a Reyes, nada más para calarlo mejor, percatándome de que era un viejo fantoche y resentido, que estaba convencido de que después de la caída de don Porfirio, a él le correspondía por derecho ocupar la silla presidencial. ¡Háganme ustedes el cabrón favor!

También llegó a mis oídos que el ingrato y maldecido Huerta tramaba un golpe contra el legítimo gobierno. Esto sí me llenó de inquietud, pues sabía la clase de alimaña ponzoñosa que era Victoriano, y sus buenas relaciones con otros generales. Era palpable que los enemigos de Madero estaban decididos a derrocarlo y que para ello no se detendrían ante nada. Era indispensable que me escapara cuanto antes de la prisión militar para ponerme al lado del señor Madero y probarle mi valor y mi lealtad.

Un día, el licenciado Antonio Tamayo, defensor y muy amigo de Bernardo Reyes, fue a verme a mi celda para decirme lo siguiente:

–Pancho, vengo a hacerte una proposición que estoy seguro te va a interesar mucho, y para la cual estoy autorizado completamente. No es justo ni humano que estés sufriendo prisión por venganzas e ingratitudes. El gobierno de Madero no puede durar, ni es conveniente ni patriótico que continúe. Es más, te confieso que ya se prepara el golpe definitivo para hacerlo caer. Dentro de muy poco tiempo estallará aquí mismo, en la capital del país, el movimiento que derrumbará a este mal gobierno. Altos personajes del ejército y de la policía están de acuerdo en ello, y vengo a pedirte de su parte que te les unas, para lo cual se te dará la libertad. A cambio de dejarte libre, sólo se te pide que firmes tu adhesión al golpe político que se prepara. Anímate, Pancho, yo te prometo que seis días después de que firmes tu adhesión, te hallarás gozando de tu completa libertad. ¿Te das cuenta de lo que eso significa?

A mí me cayó en los meros tompiates la proposición del licenciadito. Y me dije a mí mismo: "Recobraré mi libertad, aunque sea con riesgo de mi vida, para pelear al lado del señor Madero, no para unirme con sus enemigos". Pero creí prudente disimular y le dije a Tamayo:

–Mucho le agradezco, señor licenciado, sus buenas intenciones. Pero le suplico que me conceda un plazo de tres días para pensarlo bien y resolverle sin ninguna precipitación.

El abogado me contestó:

–Te concedo con mucho gusto ese plazo y después de los tres días volveré con el escrito para que me lo firmes y pueda yo gestionar tu libertad.

Si le pedí ese plazo al licenciado Tamayo fue porque mi fuga estaba dispuesta para efectuarse dos días después, ya que casi estaba terminada la limadura hecha con gran paciencia por Carlitos Jáuregui.

El día fijado me puse unos zapatos de color negro y unos pantalones azul marino. Y al acercarse la hora convenida escondí las pistolas debajo de la camisa, coloqué los cartuchos en un paliacate y envolviéndome en un sarape, lo que a nadie le extrañó pues hacía frío, salí a pasear por el corredor como lo hiciera otras veces. Luego me dirigí a uno de los jefes de vigilancia, con el que platiqué para despedirme un momento después, diciéndole:

–Con su permiso, ya se me llegó la hora de presentarme en el juzgado.

En el juzgado se encontraba únicamente Carlos Jáuregui, al que saludé y le pregunté:

–Buenas tardes, amiguito, ¿todo va bien?

Me contestó:

–Todo, mi general,

Luego le pregunté en voz baja:

–¿Cuál es el barrote?

Señalándomelo con su dedo índice, me dijo:

–Este, mi general.

El barrote estaba muy duro. Pero yo lo agarré con mis dos manos y con toda mi fuerza logré encorvarlo, hasta dejar un espacio conveniente para mi cuerpo. En seguida pasé por entre los barrotes al interior de la oficina del juzgado, donde Carlitos Jáuregui sacó de donde los tenía ocultos un sobretodo, un bombín y unos lentes oscuros, que me puse. Guardé las pistolas y los cartuchos en las bolsas del sobretodo, y al lado de Jáuregui crucé varias oficinas, mientras éste me hablaba en términos jurídicos y me daba el respetuoso tratamiento de "señor licenciado Martínez".

Así salimos a la calle sin la precipitación que nos hubiera delatado. Un poco más adelante abordamos el automóvil en el que mi hermano Hipólito nos aguardaba.

Era el jueves 26 de diciembre de 1912.

Ganas me daban de irme en ese mismo momento a ver al señor Madero, para ponerle sobre aviso de las traiciones y maldades que se maquinaban en su contra, y para ofrecerme a proteger su vida. Pero deseché la idea, pues hubiera sido aprehendido de nuevo y pasado tal vez por las armas para castigar mi escapatoria. Mi destino era Chihuahua, donde tenía un gran número de amigos y simpatizadores, y donde muchos valientes me seguirían para tomar las armas y luchar en defensa del presidente Madero.

Ansioso me hallaba de estar de regreso en Chihuahua, pues me daba cuanta que eran tiempos de volver a cabalgar y pelear.

CAPÍTULO QUINTO

LA DIVISIÓN DEL NORTE

En compañía de Carlitos Jáuregui, primero me escapé a Toluca. Íbamos en el automóvil que mi hermano contrató para nosotros. No era prudente que Hipólito nos acompañara, pues éramos bien conocidos como familiares y hubiera sido fácil reconocernos si nos miraban juntos.

Rumbo a Toluca y dentro de aquel endiablado vehículo me sentía muy inseguro. ¿Pues qué movimiento podría yo hacer allí, aunque tuviera a la mano mis dos pistolas? Sentado en un automóvil, al hombre más valeroso lo pueden tomar por sorpresa y matarlo. Otra habría sido mi suerte de recordar esta desconfianza del automóvil, once años más tarde en Parral.

Nervioso, le dije a Jáuregui:

—Oiga, amiguito, ¿no sería mejor que cambiáramos esta charchina por dos buenos caballos?

—No, mi general, nos haríamos notar— me contestó atinadamente el joven.

Al llegar al lugar que se llama Contadero, dos rurales pararon el automóvil y se nos acercaron. Yo saqué mis pistolas; pero Carlitos me tomó el brazo y me dijo quedamente que las guardara y me mostrara tranquilo. Fue un buen consejo. Porque los rurales nos preguntaron que quiénes éramos y que para donde íbamos y que si no acarreábamos armas o parque.

Con mucho sosiego, Jáuregui les contestó:

—Somos el licenciado don José de Jesús Martínez y yo, que soy su ayudante, y vamos a Toluca a una diligencia.

Ellos respondieron:

—A ver.

Y nos ordenaron bajar del coche para registrarlo debajo de los cojines. Después nos dejaron ir.

Una vez que llegamos a Toluca, entré a una peluquería para que me rasuraran el bigote, buscando no ser reconocido, ya que los periódicos informaban de mi fuga y publicaban mi fotografía. De Toluca pasamos, en medio de mil peripecias y cuidados, a Guadalajara. Luego a Manzanillo, Mazatlán, Hermosillo y Nogales, donde el 2 de enero de 1913 cruzamos la línea fronteriza y nos internamos en Tucson, Arizona, para de allí trasladarnos hasta El Paso, Texas. Desde esa ciudad gabacha le envié una carta a Abraham González, en la que le informaba:

"Estoy sano y salvo en El Paso. Aquí me tiene a sus órdenes. Soy el mismo Pancho Villa que ha conocido usted en otras épocas, muy sufrido en la desgracia. Déle usted cuenta de mis hechos al señor presidente y dígale que si me necesita estoy dispuesto a servirle como siempre. Comuníquele también que le van a dar un cuartelazo, pues a mí me ofrecieron ponerme libre si secundaba ese movimiento; pero no habiendo querido pertenecer a la traición, decidí conseguir mi libertad a costa de mi vida. Y dígale que viva seguro de que los hombres de gabinete no lo han de favorecer y que yo le soy fiel y el tiempo tanto cubre como descubre. Y a usted, señor don Abraham, le pido que me permita ir a hacerme cargo de las fuerzas voluntarias del estado de Chihuahua".

No tardé en recibir su respuesta, en la que me decía:

"Tenga usted paciencia, Pancho. No pase a México, porque nos compromete. Tan sólo espere a que los que somos sus amigos arreglemos su asunto con el señor presidente, para tener el gusto de ir a encontrarle al Río Bravo".

Don Abraham González no se daba cuenta de la gravedad de la situación. Así que le supliqué que me mandara a alguna persona de su confianza para hacerle saber mis inquietudes. Don Abraham me envió a principios de febrero al licenciado Aurelio González, quien después que le revelé cuanto ocurría, solamente me dijo:

—Mejor será que no pase usted a Chihuahua; pero no se preocupe, Pancho, pues traigo instrucciones de poner a su disposición su sueldo de general.

Le respondí, enojado:

–Usted no entiende nada, señor. La situación es demasiado grave y está en peligro la vida del presidente Madero y la de sus más importantes colaboradores. ¡Con un carajo! ¿Qué no comprenden que es urgente armar hombres para acudir en defensa de don Francisco I. Madero? A mí lo que menos me importa en estos momentos es recibir mi sueldo de general. De veras, usted no entiende nada, señor.

El tarugo de Aurelio González se sintió ofendido con mis palabras y se largó de allí, no sin antes repetirme que mi sueldo estaba a mi disposición.

Pocos días después llegaron las noticias a El Paso del cuartelazo del hijo de la chingada de Victoriano Huerta, y del asesinato del señor Madero y de don José María Pino Suárez, el vicepresidente.

Desesperado y triste, le decía yo a Carlos Jáuregui:

"Ya ve lo que ha pasado, amiguito. Yo se los dije, pero no quisieron hacerme caso".

Los periódicos de El Paso informaron que la Revolución había prendido en Coahuila, donde el gobernador Venustiano Carranza desconoció desde el 19 de febrero al gobierno de Huerta, disponiéndose a organizar los elementos necesarios para combatir a la usurpación.

En Chihuahua la cosas se pusieron de color de hormiga. Don Abraham González, al conocer los acontecimientos de la decena trágica, intentó organizar contingentes para ayudar al gobierno maderista. ¡A buena hora! Cuando ya Madero había sido asesinado. Caro pagó el pobrecito de don Abraham el no haber confiado en mis avisos. El general Antonio Rábago, jefe de las fuerzas militares en Chihuahua, lo tomó preso y lo ejecutó el 7 de marzo.

Sin más pérdidas de tiempo debía pasar a Chihuahua para combatir a la usurpación. Y con los mil quinientos pesos que me había enviado Aurelio González, y que eran mi sueldo de general, y tres mil más que me dio uno de mis hermanos, empecé a comprar rifles, caballos y monturas a toda prisa, para cruzar la frontera cuanto antes.

En esos días me mandó llamar a Tucson el sonorense José María Maytorena, quien ya se había lanzado a la lucha contra Victoriano Huerta, y que me dijo:

—El movimiento contra el gobierno espurio de Huerta ha prendido en Sonora. Es conveniente que pase usted a Chihuahua para emprender la lucha en ese estado. Tome usted estos mil pesos, que es cuanto tengo, y que de algo le han de servir.

—Gracias, don José María, viva usted con la seguridad de que en unos días más estaré en Chihuahua, dándoles guerra a los pelones de Huerta.

El sábado 8 de marzo de 1913, a la hora del atardecer, crucé furtivamente la frontera y llegué a las afueras de Ciudad Juárez en compañía de ocho hombres de probada lealtad. Eran ellos Carlos Jáuregui, Darío Silva, Manuel Ochoa, Miguel Saavedra, Juan Dosal, Pedro Sapién, Tomás N. y otra persona cuyo nombre se me escapa. Siete días después llegamos a San Andrés, pueblo muy querido por mí y donde mi adorada Lucecita me esperaba viviendo en la casa de su mamá. Con ayuda de mis muchachitos, saqué de un escondrijo unas cajas con armamentos y cartuchos que había dejado allí el año anterior. Con mis ocho hombres y varios más que se me unieron, fuimos a la estación del ferrocarril, donde puse presos a los oficinistas y pedí que me comunicaran por teléfono con el general Rábago, jefe de la guarnición de Chihuahua, al que le dije:

—Sabiendo que el gobierno usurpador que usted representa se dispone a pedir a los Estados Unidos mi extradición, he resuelto quitarle tantas molestias y aquí me tiene ya en Chihuahua, dispuesto a combatir a la tiranía de Victoriano Huerta que usted defiende. Tenemos cuentas pendientes, entre ellas la muerte de don Abraham González, y lo invito a liquidarlas.

Rábago me contestó:

—Está usted en un error al creer que le persigue el gobierno. El presidente Huerta me ha autorizado para ofrecerle el grado de general de división y cien mil pesos en efectivo si depone usted su actitud rebelde.

Acercándome más a la bocina, le dije:

—Dígale usted al cabrón de Huerta que en cuanto al grado no lo necesito, porque como jefe supremo mando a hombres libres que sabrán conquistar la libertad y acabar con la usurpación, y por lo que toca a los cien mil pesos, dígale que se los beba de aguardiente. En cuanto a usted, generalito Rábago, sépase que pronto tendré el gusto de que nos agarremos a balazos.

Dicho esto, colgué la bocina.

Empecé a reclutar gentes en el noroeste de Chihuahua, donde era querido y admirado por el pueblo. Pronto reuní algo más de quinientos hombres. Y el grito de "¡Viva Villa!" se hizo de nuevo popular en toda la sierra.

Un día supe que unos cuatrocientos hombres, parte de las fuerzas de José Inés Salazar, antiguo orozquista al servicio de Huerta, habían llegado a Casas Grandes. Y acudí a combatirlos, diciéndoles a mis gentes:

"Muchachitos, nadie me da un paso atrás. No pararemos hasta vernos dentro de los cuarteles enemigos".

En menos de dos horas Casas Grandes cayó y tomamos sesenta prisioneros que mandé fusilar de una manera muy especial. Ordené formar a los prisioneros de tres en fondo, para que una sola bala matara a cada grupo de tres. Mucho me han criticado por esto; pero hay que tomar en cuenta que andábamos escasos de balas y que, además, había que meterles miedo a nuestros enemigos. De todos modos, reconozco que fue uno de los pecados que han de haber pesado para traerme al infierno.

Debo también reconocer que era yo siempre el primero en arremeter en los combates, galopando hasta meterme en las mismas narices de los huertistas. La emoción y la alegría de la guerra me llenaban el corazón.

Mientras con mis muchachitos incursionaba victoriosamente por los llanos y las serranías del noroeste de Chihuahua, otros revolucionarios, antiguos compañeros míos, operaban en el centro y en el sur del mismo estado. Eran ellos mi compadre Tomás Urbina, Toribio Ortega, Rosalío Hernández, Manuel Chao y algunos otros jefes de menos importancia.

Todas sus acciones militares eran conocidas por mí, pues en cuanto llegaba a un pueblo, ciudad o ranchería, las gentes del lugar corrían a informarme de lo que estaba sucediendo en los distintos rumbos de Chihuahua. Hombres, mujeres y niños me contaban los incidentes de la guerra y lo que se hacía y se decía en los campamentos del enemigo. Además, no hubo prácticamente en la región un joven en edad de empuñar un fusil y montar un caballo, que dejara de incorporarse voluntariamente a mis fuerzas.

Predominaban en mi ejército los hombres rudos y sencillos como yo mismo. Aunque de vez en cuando se nos unía también

69

alguna persona de bastante civilización, como fue el caso de Juan N. Medina, con toda una carrera militar y grandes conocimientos en el arte de la guerra. Por cierto que antes de incorporarse me mandó una carta en toda forma, en la que me decía que el deseo de su vida era formar parte de la brigada Francisco Villa, que tal era en ese tiempo el nombre de mi tropa, puesto que ansiaba luchar por la causa del pueblo. Le contesté que no esperara más, que lo aguardábamos, pero que procurara traer valor en grandes cantidades. ¡Y vaya que si trajo valor! Se equiparaba con los mejores de mis muchachitos. Y no sólo se exponía como los meros buenos a la hora de la verdad, sino que sabía organizar a mis hombres para dar una muy buena batalla. Pequeñito de cuerpo y muy flaquito, este Juan N. Medina valía tanto o más que dos o tres hombres corpulentos.

El viernes 13 de junio, cerca de la hacienda de Bustillos, un grupo de mis hombres al mando de Juan N. Medina oyeron silbar a lo lejos las locomotoras de dos trenes militares, que se acercaban llevando a unos quinientos antiguos orozquistas comandados por el coronel huertista Jesús Mancilla. Al verlos llegar, les lanzaron la máquina loca que les tenían preparada y que fue a estrellarse contra el convoy federal, causándoles grandes estragos. Los pelones huyeron en desbandada, dejando a sus muertos y heridos.

En el parte de guerra, el primero que le enviaba a Carranza, le decía:

"Se le recogieron al enemigo sesenta rifles, con una pequeña dotación de parque que se distribuyó entre la tropa a mi mando, y se le hicieron cincuenta y cuatro muertos. La brigada a mi mando, así como sus oficiales, se portaron dignamente y mostraron un valor a toda prueba".

Pues ocurrió que unas semanas antes, recibí a unos señores que se identificaron como enviados de Venustiano Carranza, quien se nombraba ya Primer Jefe del Ejército Constitucionalista y que andaba derrotado y muy perseguido por los federales en el estado de Coahuila, del que fue gobernador. No acababa de entender por qué habría de ser el jefe de todos nosotros el dicho señor, cuando en su propio terreno había demostrado que no sabía hacer la guerra, pues habiendo empezado su acción en la capital de su estado, no tenía asiento para su gobierno ni hacían sus fuerzas operaciones concertadas. Cuantimás que yo no guardaba un buen recuerdo de aquel hombre, el barbón de gesto altanero que acompañaba al señor Madero en la casa de adobe frente a la sitiada Ciudad Juárez, en abril de 1911.

Pero los delegados que antes he dicho, uno de nombre Alfredo Breceda y el otro llamado Juan Sánchez Azcona, alegaron que no eran buenas mis razones. Y Sánchez Azcona, que era el más instruido y averiguador de los dos, me dijo:

–Comprenda usted, general Villa, que la unidad de la Revolución es necesaria para el logro de nuestros fines. Si cada jefe lleva un movimiento por su cuenta, usted en Chihuahua, Carranza en Coahuila, Maytorena en Sonora, no alcanzaremos el triunfo de la legalidad y la justicia, sino que nos perderemos en la anarquía y en el fracaso.

Yo le contesté:

–Estoy conforme en ello y penetro bien en sus ideas. Pero opino que no puede imperar la unidad de nuestra Revolución sin que yo y mis tropas, y las demás gentes revolucionarias de Chihuahua, se supediten al mando de generales de otro estado.

Porque la realidad era que el señor Carranza, con grado de Primer Jefe del Ejército Constitucionalista que él mismo se había concedido, había dispuesto que el general Álvaro Obregón, hombre ajeno a Chihuahua, mandara desde Sonora sobre las fuerzas de nuestro estado, al igual que sobre sus propias fuerzas. O sea, que iba a resultar jefe mío un hombre que ignoraba mis movimientos y que no podía saber el desarrollo de mis operaciones. Era tan equivocado como si yo, revolucionario de Chihuahua, sin conocimiento de lo que estaban haciendo los revolucionarios de Sonora, fuera nombrado jefe del señor Obregón.

Me aseguró el señor Juan Sánchez Azcona que mi libertad de movimientos era cosa que se podía arreglar; que de seguro el Primer Jefe atendería las razones y circunstancias propias de mis campañas, y que lo importante no era saber si aceptaba a Obregón como jefe mío, sino aclarar si operaba por mi cuenta propia, o si reconocía el Plan de Guadalupe, como los demás jefes revolucionarios, y aceptaba al señor Carranza como Primer Jefe.

Le respondí:

–Dígale usted a don Venustiano Carranza que apoyo el Plan de Guadalupe, y que pensándolo bien lo acepto a él como Primer Jefe. Y dígale también que estoy pronto a obedecerlo en todo lo que convenga a la Revolución y a los verdaderos intereses del pueblo. Que si en realidad es un hombre revolucionario, puede vivir seguro de mi amistad y mi lealtad.

Reconozco que fui un tonto al dejarme envolver por el pico largo de Juan Sánchez Azcona. ¡Cuánto mejor hubiera sido enviarlos a él y a Breceda mucho al carambas! Me habría evitado tantas maquinaciones y traiciones políticas como las que me cometió con el tiempo el viejo barbas de chivo, ventajoso, testarudo y aprovechado como él solo.

A finales de agosto, mis hombres atacaron a las fuerzas del general huertista Félix Terrazas, parapetadas en el pueblo de San Andrés. Disponían de dos cañones muy buenos con los que no permitían nuestro avance. Así que llamé a Juanito N. Medina y le dije:

–Señor coronel, es mi opinión que nada lograremos avanzar mientras el enemigo nos siga cañoneando.

Juanito me contestó:

–Soy de la misma opinión de usted, mi general.

Sabiendo de su gran valentía, le ordené:

–Pues ahora mismo va usted, como el buen militar que es, a echarse con sus gentes sobre esos cañones, y no quiero conocer el parte de batalla hasta que esa artillería haya caído en sus manos o usted y sus hombres estén muertos.

Medina y su elementos actuaron con habilidad y valor extraordinarios, y los dos cañones quedaron en su poder, lo que debilitó las posiciones enemigas y permitió a mi caballería lanzarse al ataque y liquidar la resistencia. El general Terrazas salió huyendo en una locomotora, y ese 26 de agosto de 1913 San Andrés fue ocupado por mis fuerzas, que capturaron abundante material de guerra y dos trenes cargados de provisiones. Ordené distribuir entre las familias de San Andrés parte de los bastimentos quitados al enemigo.

El 15 de septiembre siguiente llegué con mis muchachitos a Santa Rosalía de Camargo, donde me esperaba el general Maclovio Herrera con cuatrocientos hombres. Juntos marchamos a Jiménez, y allí se nos incorporó mi compadre Tomás Urbina con seiscientos elementos.

Urbina regresaba cargado de oro de Durango, ciudad que había tomado a sangre y fuego, ayudado por los hermanos Arrieta. Entre sus hombres figuraba un mayor de físico hercúleo, antiguo ferrocarrilero al que le tomé gran confianza y cariño, convirtiéndolo en uno de mis guardaespaldas y en mi amigo inseparable. Se trataba de Rodolfo Fierro.

. La idea de tomar la estratégica ciudad de Torreón fue cobrando cuerpo en mí. Y en pláticas con mi compadre Urbina y Maclovio Herrera empecé a planear la acción. Carranza acababa de estrellarse en ese intento, rechazado por los defensores. De esta circunstancia quería valerme, pues tomaba en cuenta que la guarnición de esa plaza no habría tenido tiempo de reponer sus bajas en hombres y material de guerra, ni esperaría tan pronto una nueva acometida.

Teníamos informes de que la guarnición federal de Torreón era de entre tres mil quinientos a cuatro mil hombres muy bien armados y pertrechados. El anciano general Ignacio Bravo obtuvo en esos días su retiro y la plaza quedó al mando del general Eutiquio Munguía, militar de merecido prestigio y principal causante de la derrota infligida a Carranza. Secundaban al general Munguía generales de tanta experiencia como Luis Anaya y Felipe Alvírez, así como los antiguos orozquistas Emilio Campa y Benjamín Argumedo, el fiero y habilidoso jinete al que le decían el León de la Laguna y que me daría mucha batalla al paso del tiempo.

Por cierto que Argumedo, al frente de su caballería, hacía frecuentes salidas de Torreón para presentar combate a los revolucionarios en las poblaciones aledañas como Lerdo, Gómez Palacio y San Pedro de las Colonias. Su intrepidez y su valentía no podían negarse.

Por tren y a caballo mis fuerzas salieron de Jiménez y fueron a situarse en la hacienda de La Loma, a veinticinco kilómetros al poniente de Torreón. Unos días después llegaron los generales Calixto Contreras y Orestes Pereyra, con toda la tropa que mandaban. Se presentaron igualmente, los demás jefes revolucionarios de Chihuahua. A todos nosotros nos había pedido Carranza, antes de marcharse a Hermosillo, a refugiarse con su gobierno, hostilizar a los federales de Torreón, por medio de maniobras guerrilleras.

Antes de que los distintos jefes que nos hallábamos reunidos en La Loma emprendiéramos el ataque, consideré la conveniencia de que tuviéramos una junta, pues pensaba: "Estas fuerzas ya no son solamente las de mi brigada. Vienen las de mi compadre Urbina y las de Maclovio Herrera. Están también las de Eugenio Aguirre Benavides y las de Calixto Contreras, las de Juan N. García y las de algunos otros militares. Queda pues muy claro que se necesita, lo mismo para esta operación que para el futuro, un solo jefe que coordine a todas las tropas, sea capaz de dirigir sus movimientos y las conduzca de la mejor manera".

Llamé a Juan N. Medina y le confié mi parecer. Él me dijo que estaba yo en lo justo. Y me pintó con palabras convincentes las grandes ventajas de organizarnos. Así que convoqué a la dichosa junta, y allí en La Loma les dije a todos:

"Señores, en las horas de la guerra nada se hace si no se sabe mandar y obedecer. O sea, que cuando se juntan fuerzas en gran número, los jefes de todos los grupos deben escoger a un jefe mayor que lleve sobre sus hombros la carga del mando y al que todos obedezcan. Como éstas son nuestras circunstancias, tenemos el deber, según creo, de nombrar un general en jefe que nos conduzca a todos y que con su autoridad les de a nuestras brigadas la cohesión que necesitan para el progreso de la guerra. Opino, salvo el mejor parecer de ustedes, que nombremos para el grado de general en jefe a mi compadre Tomás Urbina, al general Calixto Contreras o a mí".

Otros hablaron después. Pero como ninguno dijo palabras de razón ni de conocimiento, Juan N. Medina se levantó y expuso los motivos que él veía para que se fusionaran nuestras fuerzas y que a mí me escogieran como su general en jefe. El resultado fue que después de oír a Juanito todos mostraron el mismo parecer, y que yo, Pancho Villa, quedé nombrado comandante de todas las tropas.

Así nació, aquel 29 de septiembre de 1913, la División del Norte, la cual iba a crecer en tamaño y poderío, y a realizar, con su tremendo empuje, grandes hazañas revolucionarias.

CAPÍTULO SEXTO

EL CENTAURO DEL NORTE

Tan pronto fui nombrado jefe de la División del Norte decidí emprender el ataque a Torreón, y el lunes 29 de septiembre por la mañana estaba disponiendo los últimos preparativos para marchar sobre la mentada Perla de la Laguna, cuando a eso de las once y media retumbó nuestro campamento con un fuerte cañoneo. Era la artillería de los generales huertistas Felipe Alvírez y Emilio Campa, que con unos mil hombres salieron a hacer un reconocimiento; pero que llevados por su entusiasmo empezaron a bombardearnos por su cuenta y riesgo. De inmediato dispuse avanzar al encuentro del enemigo. El combate fue muy encarnizado, pues al frente de sus soldados el general Campa y sobre todo el general Alvírez peleaban con bravura.

No tardaron en aparecer, en auxilio de los pelones, los aguerridos jinetes de Benjamín Argumedo, el León de la Laguna, que desde las alturas del Cerro de la Cruz bajaban en cargas cerradas de caballería. Pero si nuestros oponentes eran valerosos, nosotros no nos quedabamos atrás. Yo mismo, a caballo y pistola en mano, me lancé con un grupo de mis muchachitos sobre los cañones que nos disparaban, logrando silenciarlos y darles muerte a sus artilleros.

En menos que la minuta los federales comenzaron a desbandarse hacia el poblado de Avilés y la ciudad de Lerdo, donde creyeron poder resistir. Pero Orestes Pereyra y mi compadre Tomás Urbina los sacaron de Avilés a la viva fuerza. Igual suerte corrieron los hombres de Emilio Campa, quienes fueron arrojados de Lerdo por las fuerzas de Maclovio Herrera y Calixto Contreras.

Al entrar a Avilés rodeado por mi Estado Mayor, miré en el suelo el cadáver de un hombre grueso y bigotón, en el que eran visibles las muchas heridas recibidas antes de sucumbir. Pregunté quién era ese hombre cuyos restos mortales habían sido despojados de su uniforme y sus pertenencias. Me dijeron que era el general Felipe Alvírez. Me molesté mucho por la profanación de que fue objeto el cadáver de aquel militar tan valiente. Y exclamé:

"¡Que se le dé cristiana sepultura de inmediato! ¡Y de ahora en adelante, quien se extralimite cometiendo desmanes con los cadáveres de nuestros enemigos, será pasado por las armas sin formación de causa!"

En la batalla de Avilés les capturamos a los huertistas tres cañones, quinientos treinta y dos fusiles, ciento cincuenta mil cartuchos y trescientas granadas.

Al día siguiente de las victorias de Avilés y Lerdo, emprendimos nuestro ataque a Torreón, importante centro ferrocarrilero y ciudad bien defendida por las tropas al mando del general Eutiquio Munguía. Empezamos con un fuerte tiroteo contra la infantería enemiga parapetada en los cerros de Calabazas y La Polvorera, de los que nos apoderamos ese mismo día al atardecer, iniciando sin perder tiempo una fuerte acometida contra las tropas huertistas atrincheradas en el Cerro de la Cruz.

Los tres cañones que les tomamos a los pelones en Avilés nos fueron de mucha utilidad, pues protegidos por su fuego arremetimos contra los federales. Por deber y también por puro gusto, y para estimular con el ejemplo a mis muchachitos, me mantuve en todo momento en la línea más peligrosa del combate. Nada hay en este mundo que pueda igualarse al placer y la furia de una batalla a muerte donde se juega uno el todo por el todo.

Dentro de Torreón, en las fabricas La Metalúrgica y La Unión, se encontraban fortificados varios destacamentos de artillería y los hombres al mando de Benjamín Argumedo y Emilio Campa, militares de probado valor y experiencia.

A eso de las nueve de la noche, se nos empezaron a escasear los cartuchos y con todo el dolor de mi alma pensé en la necesidad de retirarnos, cuando de pronto vimos las lumbraradas y oímos la tronidera con que ardían las fábricas, señal de que los federales destruían sus pertrechos y municiones, sin duda con la idea de abandonar la plaza.

No quedaba sino esperar a que los pelones huyeran de Torreón, haciéndoles creer mientras tanto que nuestra ofensiva continuaba firme, para lo cual ordené, en vista de que era poco nuestro parque, que se mantuviera un ataque moderado en todos los sectores, y quemando en nuestra retaguardia cohetones que nos consiguieron en las rancherías cercanas, con el propósito de infundir en los federales la creencia de que disponíamos de abundantes balas.

Esa misma noche las tropas enemigas abandonaron sigilosamente Torreón por el rumbo de Matamoros, el único que les quedaba libre. Y una vez que se encontraron en el Cañón del Huarache huyeron en desbandada, perseguidos por los jinetes y la infantería de la División del Norte, al grito de "¡Viva Villa, pelones jijos de su rechintolera madre!"

A pesar de los muchos pertrechos que lograron quemar, el botín que les tomamos a los huertistas nos llenó de alegría: once cañones, doscientas noventa y siete granadas, doscientos noventa y nueve fusiles, cinco ametralladoras, medio millón de cartuchos, treinta y nueve locomotoras y muchos furgones, jaulas y plataformas de ferrocarril. Y por si fuera poco, también cayó en nuestras manos el famoso cañón de largo alcance llamado El Niño, que los federales llevaban emplazado en un carro blindado de ferrocarril.

Las gentes de Torreón nos recibieron con exclamaciones y gritos de entusiasmo y grandes muestras de afecto. Pero no dejé de notar que todas esas personas estaban hambrientas. Y como los federales habían dejado dos bodegas repletas de comestibles, ordené que fueran repartidos a mitad entre mis hombres y la población.

Instalé mis oficinas en el Hotel Salvador, el mejor de Torreón en esos tiempos, y comencé a tomar medidas que consideré necesarias y prácticas. No quería que mis muchachitos olvidaran que seguíamos en pie de guerra. Por eso les ordené a los generales Benjamín Yuriar, Eugenio Aguirre y Tomás Urbina que se mantuvieran vigilantes con sus tropas en los alrededores de Torreón, con el fin de evitar sorpresas desagradables. Fue un consejo de Juanito N. Medina, a quien acababa de nombrar jefe de mi Estado Mayor, y que me hizo ver también que los federales no habían sido eliminados por completo, dirigiéndose de seguro a unirse a las columnas al mando del general Fernando Trucy Aubert, quien se hallaba en algún punto de la línea del ferrocarril de Torreón a Monterrey; además de que eran muchas y poderosas las columnas huertistas situadas en la vanguardia y en la retaguardia de la División del Norte.

Todo esto era verdad. Así que metí en varios trenes a la mayoría de mis muchachitos y me marché con ellos al estado de Chihuahua, dejando con su tropa al general Calixto Contreras, custodiando la ciudad. Mis fuerzas se hallaban acrecentadas con miles de coahuilenses incorporados por voluntad propia a la División del Norte. Antes de partir a Chihuahua, les impuse un préstamo forzoso a los banqueros de Torreón, sabedor de que no hay guerra que progrese sin dinero.

Todo parecía ir bien. Desgraciadamente, nunca falta algún cabrón disgusto. En Camargo, donde mis trenes hicieron su primer alto, supe que el general Benjamín Yuriar andaba intrigando en contra mía, inconforme con la ordenanza militar que les impuse a mis tropas para disciplinarlas. Lo que más le disgustaba a Yuriar era que con las nuevas disposiciones no hubo ya manera de distraer grandes partidas de dinero en beneficio personal de los generales. Mandé llamar al descontento por conducto del coronel Toribio Ortega, y Benjamín se insubordinó, faltándole al respeto a mi emisario. Le envié con la misma encomienda al general Maclovio Herrera, al que también trató con insolencia, negándose a obedecer mis órdenes. No podía dejar las cosas así, por lo que ordené aprehenderlo y sin tocarme el corazón lo mandé al paredón, pues era indispensable mantener la disciplina entre mis elementos.

En Santa Rosalía de Camargo hice el recuento de los hombres que me acompañaban: poco más de seis mil soldados, con los que me dispuse a atacar a la ciudad de Chihuahua. Contrario a esta idea, Juanito N. Medina me dijo:

--No creo, mi general Villa, que debamos intentar esa operación. Mejor sería lanzarnos sobre Ciudad Juárez, que es una plaza defendida más debilmente. Tome en cuenta que en la ciudad de Chihuahua se encuentran fuerzas federales muy numerosas, experimentadas y bien pertrechadas; que cuentan, además, con el respaldo de Pascual Orozco, quien dispone de soldados tan buenos y aguerridos como los nuestros. Chihuahua es una plaza muy bien defendida y para tomarla tendríamos que sitiarla. Y usted sabe que no contamos con armas ni municiones suficientes para mantener el sitio.

Le contesté:

–Tal vez tenga usted razón, Juanito, pero mi deber no es alejarme del peligro sino buscarlo, afrontarlo y pasar por encima de él.

Lo cierto fue que la División del Norte se situó a setenta y seis kilómetros de Chihuahua, desde donde solicité la rendición. Pero el general Salvador Mercado, jefe de la guarnición, no se tomó siquiera la molestia de contestarme.

Disponía el general Mercado de más de seis mil hombres, nueve buenas piezas de artillería y varias ametralladoras. Y estaba auxiliado por Pascual Orozco, José Inés Salazar y Marcelo Caraveo.

El miércoles 5 de noviembre, al atardecer, la batalla se inició con el lanzamiento de granadas contra los contingentes de Marcelo Caraveo. Nuestro ataque fue contestado con tupido fuego de artillería. Momentos después, la brigada al mando del coronel Juanito N. Medina lanzó sucesivas cargas de caballería contra dos cerros llenos de orozquistas, a los que después de dos horas de reñidísima pelea logró desalojar.

Al amanecer del día siguiente peleábamos furiosamente en varios frentes. La artillería federal emplazada en el cerro de Santa Rosa nos ocasionaba muchas bajas. También Pascual Orozco, atrincherado en el cerro del Álamo con un grupo de sus gentes, hacía caer a numerosos jinetes nuestros.

El combate continuó hasta el domingo 9, cuando al ser informado de que mis muchachitos caían como moscas, pegados a las alambradas electrificadas con que el general Mercado mandó cercar Chihuahua, ordené la retirada.

Tres días después me hallaba con mis tropas en un lugar llamado Charco, muy cercano a la estación del Ferrocarril Central, piensa y piensa en la manera de desquitarme del descalabro sufrido, y pidiéndole a Dios que me iluminara. La ocasión se me presentó al día siguiente. A la hora del atardecer, cuando me encontraba en las inmediaciones de la Fundición del Cobre, escuché silbar una locomotora. Sorprendido, le pregunté a uno de mis oficiales:

—Oigame, compañerito, ¿quiénes serán?

El oficial me contestó:

—Es el tren que viene de Ciudad Juárez con sus carros cargados de carbón. Cada tantos días pasa por aquí. Trae escolta de federales que parece que ya se mosquearon al ver a nuestras gentes.

Tuve una idea fregona. Ordené que el tren fuera detenido y sometida su tripulación, lo que se logró con facilidad. En seguida, fuí con varios de mis muchachitos a tomar preso al telegrafista de la estación del Sauz, situada a diez kilómetros de la Fundición del Cobre.

Amagándolo con la pistola, le dije:

—Ándele, amiguito, dispóngase a informar a Ciudad Juárez lo que le ordene, con las contraseñas de costumbre y sin añadirle nada suyo. Si no hace las cosas como le digo, aquí mismo lo mando fusilar.

Pálido del miedo, el telegrafista mandó a Ciudad Juárez, palabras más, palabras menos, el siguiente mensaje:

"Estoy descarrilado en el kilómetro tal. No hay vía telegráfica ni camino de ferrocarril a Chihuahua, porque todo lo han quemado los revolucionarios. Mándenme otra máquina para levantarme o dénme sus órdenes sobre lo que debo hacer".

De Juárez le contestaron más o menos:

"No podemos mandarle otra máquina. Busque en los talleres del Sauz lo que necesita para levantar su máquina, y cuando la tenga levantada, avísenos para girarle órdenes".

A temprana hora del día siguiente, les dije a mis muchachitos:

—Ahorita mismo me descargan todo ese carbón hasta que queden limpios los dieciocho carros que forman el convoy.

—A sus órdenes, mi general —me contestaron y pusieron manos a la obra.

Entretanto, le dije a uno de mis ayudantes:

—Avísales a los generales Maclovio Herrera, José Rodríguez y Rosalío Hernández, y a los coroneles Servín, Medina, Ortega y Ávila que vengan de inmediato.

Los generales y coroneles mencionados llegaron como de rayo, y les hablé de esta manera:

Me entró la curiosidad por la Conesa y fui al teatro a conocerla,
vistiendo mi uniforme de gala.

Le dije a Luz Corral: "Adiós, Güera, me voy a la sierra donde andaré con un guarache en la mano y pelearé como Dios me ayude".

No pido nada para mi, sino todo lo que sea para bien del pueblo y en
auxilio de los pobres...

Ya con mi nombre de Pancho Villa me dediqué a la robadera de vacas...

Hay que tener en cuenta que sí robé y maté fue porque así lo quiso mi triste destino.

Muy contento me hallaba de haberme adueñado del nombre de Los Dorados para mi escolta.

Con todas las mujeres que me gustaban me casé y con todas tuve
hijos.

Y caí en lo negro, en algo peor que la muerte, en el infierno mismo donde sigo...

"Compañeritos, este tren nos va a servir para meternos en Ciudad Juárez sin que el enemigo se dé cuenta. Usted, coronel Servín, avanza con su artillería a todo lo largo de la vía del tren rumbo a Juárez. Usted, general Hernández, y ustedes coroneles Medina, Ortega y Ávila, se quedan en esta vía con dos mil quinientos hombres. Si pueden, marchen hacia Ciudad Juárez, y si no, aquí se quedan. Y ustedes, general Herrera y general Rodríguez, y yo, Pancho Villa, nos vamos en compañía de dos mil hombres adentro de este tren. Sorprenderemos a la guarnición de Juárez esta misma noche y tomaremos la plaza a sangre y fuego. ¿Entendido?"

En dos horas quedó limpiecito el convoy y subimos a él con los dos mil hombres provistos de suficiente armamento. Entonces le ordené al telegrafista enviar a Ciudad Juárez el siguiente mensaje:

"Ya logré levantar mi máquina. No hay vía ni telégrafo hacia el sur. Se ve una polvareda y creo que son revolucionarios. Espero órdenes".

La respuesta fue:

"Regrese a Ciudad Juárez y en cada estación pídanos órdenes de nuevo".

Rodolfo Fierro, buen ferrocarrilero, se colocó al lado del maquinista, encañonándolo con un fusil, y el tren se puso en marcha. En cada estación, el maquinista volvió a pedir órdenes, las que confirmaron el regreso del convoy, lleno de gentes mías que embrazaban sus carabinas y tentaleaban sus cartucheras repletas de balas. Ya había anochecido cuando vi parpadear a la distancia las luces de Ciudad Juárez.

Los soldados de la guarnición federal dormían profundamente cuando el tren se detuvo en los patios ferrocarrileros de Ciudad Juárez, y mis muchachitos saltaron del largo convoy, lanzándose a toda prisa hacia los cuarteles y campamentos huertistas.

Desde la estación del ferrocarril dirigí la operación, disponiendo que dos trenes salieran de inmediato a recoger a la artillería de Servín y a las tropas que se desplazaban a lo largo de la vía, para llevarlas de inmediato a Ciudad Juárez.

Mientras tanto el jefe de mi Estado Mayor, con varios piquetes de guardias se dirigió a los garitos, donde numerosos oficiales de la guarnición se hallaban muy quitados de la pena, entregados a los juegos de azar. Fueron muchas las monedas de oro y de plata que los hombres de los piquetes recogieron de las mesas de juego y decomisaron para la causa.

Unos cuantos federales lograron sobreponerse a la sorpresa y ofrecieron resistencia. También el cuartel de orozquistas irregulares se negó a rendirse, por lo que se trabó un encarnizado combate que duró hasta las primeras horas de la mañana. En la confusión de la lucha, el general huertista Francisco Castro cruzó la frontera y se refugió en los Estados Unidos.

A las seis de la mañana del 16 de noviembre de 1913, una banda de música colocada en la plaza de armas lanzaba al aire las alegres notas de Jesusita en Chihuahua y la Marcha Zacatecas, celebrando nuestra victoria.

La toma de Ciudad Juárez nos dio mucha fama a la División del Norte y a mí. Y seguramente por tratarse de una población de frontera, la hazaña les llamó mucho la atención a los gringos. Juanito N. Medina, que era un compañerito muy instruido y entendía el idioma gringo, me leyó poniéndolo en nustra lengua, un periódico gabacho donde se decía que había entrado yo en Ciudad Juárez como un tal Ulises en Troya. Le pedí a Juanito que me explicara el asunto. Y me contó la historia muy bonita de unos soldados griegos que se escondieron en la panza de un caballo de madera gigantesco y así entraron a una población enemiga llamada Ciudad Troya, donde sorprendieron y vencieron a la guarnición. Y decía un periodista gringo que yo había hecho lo mismo, metiéndome a Ciudad Juárez dentro del caballo de metal del ferrocarril. Me gustó la comparación, de veras me gustó mucho.

En mi despacho de la Aduana de Ciudad Juárez recibí las felicitaciones de personas de todas las clases sociales. Entre los que primero llegaron a saludarme al día siguiente de la ocupación de la plaza, recuerdo al entonces coronel Plutarco Elías Calles y al mayor Ignacio Enríquez, los dos procedentes de Agua Prieta, Sonora.

La resonancia de la ocupación de Ciudad Juárez, a la vez que nos dio renombre militar, despertó entre nuestros enemigos la versión de que nuestra victoria indiscutible sólo era obra de la casualidad.

El 20 de noviembre dispuse la celebración del tercer aniversario del inicio del movimiento revolucionario. Estábamos en pleno jolgorio cuando fui informado de que tropas huertistas considerables, al mando del general Salvador Mercado, habían salido de la ciudad de Chihuahua con la intención de combatirnos y recuperar Ciudad Juárez.

Sin pérdida de tiempo, le ordené a Rodolfo Fierro que con una máquina, una grúa y un piquete de soldados fuera a levantar la vía. Pero Fierro, intrépido y bragado como él solo, hizo mucho más. Se acercó a las avanzadas enemigas, que lo cañonearon con furia, logrando arrebatarles diez carros de ferrocarril que incendió y lanzó contra el convoy huertista, dificultando su avance y haciéndome ganar tiempo, pues al día siguiente ya tenía armados y montados a mis muchachitos, con los que salí al galope hacia los médanos de Samalayuca, decidido a dar la batalla en campo abierto, pues no quería ocasionar sufrimientos y peligros a los habitantes de Ciudad Juárez, ni enterar a la prensa gringa de nuestros movimientos estratégicos, para no alertar al enemigo, ya que desde los edificios altos de El Paso, Texas, hubiera sido fácil observar al detalle la acción militar, de ocurrir ésta en Juárez.

Lo cierto fue que con seis mil doscientos hombres crucé los médanos de Samalayuca, agazapando a mis muchachitos en las tierras arenosas del lugar conocido con el nombre de Tierra Blanca, en espera de los pelones.

El sábado 22 de noviembre los dos ejércitos enemigos nos avistamos, y arengué así a mis muchachitos:

"Esta batalla va a resultar muy importante para el triunfo de la Revolución. Si la ganamos, seremos dueños de todo Chihuahua y no va a haber quien se nos atraviese para llegar hasta la capital de la República. Si la perdemos, perderemos también Ciudad Juárez y la frontera, y las ventajas de surtirnos de armas y municiones en Estados Unidos. Tenemos que ganarla, muchachitos, aunque nos cueste la vida".

Las dos fuerzas enemigas nos estuvimos observando sin que ninguna se resolviera a entrar en acción, durante los días 22, 23 y 24. Hasta que a las cinco de la mañana del martes 25, los federales lanzaron repetidas cargas de caballería que fueron rechazadas una tras otra por mis muchachitos.

Los huertistas comenzaron a desmontar sus cañones de las plataformas de los trenes, con el propósito de colocarlos en mejor posición y apoyar con su fuego una carga de su infantería y su caballería unidas, sobre los montículos arenosos donde nos parapetábamos.

Pero mi artillería disparó en ese momento dos cañonazos. Era la señal esperada por mi caballería, que se lanzó a galope tendido sobre los pelones, mientras que yo, cabalgando en medio de mis jinetes, les gritaba:

"¡Éntrenle, muchachitos, vamos a acabar con los desgraciados pelones!"

Los federales combatieron con valentía, lo que sea de cada quien, pero ante la avalancha de mi caballería se fueron desorganizando y al fin se dejaron ganar por el pánico, desbandándose y emprendiendo la huida, en un intento de alcanzar sus trenes que se alejaban a toda prisa.

Parte de las fuerzas derrotadas lograron subir a un tren que pitando y rodando a toda prisa tomó el rumbo de regreso hacia la ciudad de Chihuahua. Fue entonces cuando Rodolfo Fierro realizó otra de sus grandes hazañas. Montado en su caballo que corría a todo galope alcanzó al convoy, entre una lluvia de balas y agarrándose con las manos de los tubos de los vagones, llegó hasta los frenos y paró el tren. Entonces con un grupo de jinetes villistas que lo seguían se echó sobre los pelones refugiados en los carros, realizando una gran matazón.

En la batalla de Tierra Blanca, terminada a las ocho de la noche de aquel día 25 de noviembre de 1913, les capturamos a los huertistas tres trenes y diez muy buenas piezas de artillería. En el campo quedaron sin vida más de mil federales y no menos de quinientos de mis muchachitos.

Regresamos a Ciudad Juárez entre las aclamaciones y los aplausos de una multitud formada sobre todo por gentes humildes del pueblo, orgullosas del triunfo de un hombre surgido de abajo.

La victoria de Tierra Blanca fue dada a conocer ampliamente por los periódicos gabachos, que elogiaban la destreza y la bravura de la División del Norte y de su general en jefe. Desde entonces fue que me pusieron el sobrenombre de *El Centauro del Norte*.

Le comenté al jefe de mi Estado Mayor:

–¡Vaya con los gringos! Primero me compararon con el caballo ése de la Ciudad de Troya y ahora han dado en llamarme **El Centauro del Norte**. Dígame, Juanito, ¿qué cosa es un centauro?

Me contestó:

–Es un ser mitad hombre y mitad caballo.

Le dije:

–¡Ah chispiajos! ¿Y dónde se crían o se consiguen los dichosos centauros?

Juan N. Medina me explicó que eran unas criaturas imaginarias inventadas por los griegos. Y días más tarde me mostró un libro de estampas en el que venía el dibujo de un centauro. Me dio risa verlo con su cuerpo de caballo y su cuerpo de hombre del ombligo para arriba. Pero me agradó que a mí, que tantas veces al cabalgar sentí que mi cuerpo y el del caballo éramos uno solo, me dieran el nombrecito: centauro, **El Centauro del Norte**.

CAPÍTULO SÉPTIMO

NUNCA QUISE SER PRESIDENTE

Mientras en Ciudad Juárez se festejaba nuestra victoria de Tierra Blanca, regresaron a Chihuahua los restos del ejército del general Salvador Mercado, quien no permaneció en la capital del estado sino el tiempo indispensable, pues temeroso de un ataque nuestro, decidió evacuar cuanto antes la plaza.

Los ricos de Chihuahua, con la conciencia nada tranquila y un miedo enorme a la justicia revolucionaria, le ofrecieron al general Mercado la suma de tres millones de pesos, con el fin de que no abandonara la ciudad y dispusiera de suficiente dinero para hacer frente a los gastos de su defensa, y a las necesidades de sus soldados. Pero el general se hallaba escarmentado y lo que menos quería en esos días era seguir peleando contra los villistas. Y ordenó la salida de sus efectivos, los cuales partieron en varios trenes rumbo a Ojinaga.

Junto con los soldados huían también las familias pudientes de Chihuahua. La crecida impedimenta y el exceso de precauciones hicieron que aquella lentísima caravana, militar y civil, tardara quince días en llegar a esa población fronteriza.

Al ser informado de su huida a la frontera, no quise copar a Mercado por consideración a la población civil que lo acompañaba. Suponía además que Mercado ya no era enemigo digno de tomarse en cuenta, error del que no tardaría en arrepentirme. Por lo pronto, preferí dirigirme con mis muchachitos a ocupar la plaza dejada por los federales. Y el 8 de diciembre de 1913, en compañía de los generales Toribio

Ortega, Manuel Chao, Maclovio Herrera, José Rodríguez y Orestes Pereyra, hice mi entrada triunfal en Chihuahua.

En las afueras de la ciudad nos salió al encuentro una comisión de civiles, encabezada por un señor chihuahuense de nombre Federico Moye, quien me dijo:

–Señor general Villa, venimos como emisarios de paz, a comunicarle el abandono de esta plaza por las tropas del general Salvador Mercado. Toda la ciudad está a sus órdenes y esperamos recibir de usted el trato justo y humanitario que dan a las poblaciones los grandes vencedores en la guerra. Disponga usted y se hará lo que nos ordene; pero tenga a bien respetar las vidas de nuestras familias y las de nosotros. Y por favor, no vaya a despojarnos.

Les respondí:

–Mis tropas y yo los trataremos con justicia. Pero no se engañen ni se confíen. No esperen que desaparezca el castigo para los culpables de los muchos males que se nos han hecho. Además, no consentiré a nadie que nos niegue los auxilios que mis tropas necesitan, ni que vaya a andar metiéndose en conspiraciones y chismes contra nuestra causa. En cuanto a quienes nada han hecho en contra nuestra, nada deben temer. Y den por seguro que los pobres tendrán toda nuestra ayuda.

El recibimiento que se nos hizo al llegar a Chihuahua fue, como dijeron los periódicos, *sin precedente*; pues además de la multitud que llenaba las principales avenidas, la Plaza Hidalgo y el Palacio de Gobierno se encontraban atestados de personas locales y foráneas. En todos esos lugares se lanzaron estruendosos vivas a mí, Pancho Villa, a la Revolución y a Carranza. Ya le tenía un gran cariño a Chihuahua, pero ese día sentí que crecía más todavía dentro de mi corazón.

Por solicitud de mis compañeros generales de la División del Norte que iban conmigo, y con la intención de que con mi autoridad los negocios públicos se abrieran camino, acepté el nombramiento de gobernador del estado, cargo provisional en el que duré un mes.

Al aceptar tan honroso puesto no pasaba por alto mi mucha ignorancia, reconociendo que sólo era mientras se encontraba a alguna persona más adecuada. Ahora, con estas eternidades que he cavilado metido aquí en el infierno, pienso que lo que hace falta es que a los pueblos los gobiernen gentes bien intencionadas, y preocupadas por el bien de los pobres, mejor que hombres muy instruidos pero desprovistos de buenas intenciones, honradez y vergüenza.

Para que me ayudaran a gobernar a Chihuahua nombré secretario general de Gobierno a un periodista independiente y de buena fama, Silvestre Terrazas; secretario particular a Luisito Aguirre y tesorero general a Sebastián Vargas hijo.

Interesado sinceramente en hacer un buen gobierno, di órdenes terminantes para acabar con el pillaje y el saqueo, y dispuse se dieran los pasos necesarios para el abaratamiento de la vida, concediendo facilidades al transporte y a la importación de comestibles de los que tanto había carecido la capital del estado. Y no solamente de El Paso, Texas, sino del sur y de la sierra se introdujeron furgones cargados de frijol, maíz y otros granos, que se abarataron como nunca. Y si a ello se agrega que la carne se abarató a un grado increíble, es seguro que el pueblo, no sólo de la capital sino de todo el estado, comió bien durante el tiempo en que fui gobierno. Recuerdo que uno de los decretos expedidos entonces por mí, decía poco o más o menos lo siguiente:

"En vista de la aflictiva situación por la que ha venido atravesando el pueblo de Chihuahua, se hace saber a sus habitantes que desde hoy en todos los expendios se venderá la carne a los siguientes precios: carne de res, pulpa: quince centavos el kilo; carne de res, con hueso, diez centavos el kilo".

Pero aunque el abaratamiento de los precios de la carne y otras mercancías de primera necesidad era muy grande, cada día se notaba más la falta de moneda circulante. Los billetes de banco eran cada día más escasos, menos los del Banco Minero, que no eran bien aceptados, con lo que se dificultaba el comercio. Con más razón, la moneda de plata escaseaba también. Había que tomar alguna medida para remediar el mal. Y después de hablar con mis consejeros, llegué a la determinación de decretar la creación de un banco de emisión estatal, que como primera garantía tendría los bienes confiscados a los Terrazas, los Creel, los Falomir y otros ricos chihuahuenses acusados de colaborar con el gobierno usurpador. Y se empezaron a imprimir billetes en la Imprenta del Gobierno, acuñando moneda de plata que respaldara mejor ese papel. A tales billetes, por su tamaño grandecito, las gentes dieron en llamarlos "sábanas".

Como no se daba abasto la Imprenta del Gobierno, tuve que recurrir a una de las más importantes casas emisoras de los Estados Unidos, que fue la encargada de imprimir los nuevos billetes llamados "dos caritas", pues por decisión mía llevaban por un lado el retrato del señor Francisco I. Madero, y por el otro el de don Abraham González, esos dos grandes mexicanos a los que quise como si hubieran sido mis propios padres.

Aprobé también la creación de una nueva Casa de Moneda, en la que se intentó instalar maquinaria comprada en Estados Unidos. Pero en vista de que se presentaron dificultades para su adquisición en ese país, el general Chao propuso llevar de Hidalgo del Parral algunas máquinas de acuñación allá abandonadas, y así se hizo.

Con toda la premura del caso se construyeron varios hornos, en los que se fundieron varias piezas apropiadas para la acuñación. Y se hicieron "dados" para los bonitos grabados que llevarían los pesos de plata, y otros para la morralla de cobre que sustituyó a los cartones provisionales. Lo cierto fue que en muy poco tiempo se formalizó la acuñación de monedas de plata, que por imperfección en la refinación contenían una alta proporción de oro, razón por la que esos pesos villistas eran bastante apreciados en los Estados Unidos.

En cuanto a la emisión de billetes "dos caritas" fue abundante y su circulación alcanzó a todo el país. La mera verdad, me enorgullece la buena aceptación que tuvieron mis bilimbiques.

El 24 de diciembre, como regalo de Nochebuena, condoné el cincuenta por ciento del rezago de los contribuyentes.

En el corto tiempo de mi gobierno establecí más de cincuenta escuelas en el estado de Chihuahua, convencido de que la tierra para el pueblo campesino, y las escuelas para los niños y los jóvenes, resolverán algún día todos los problemas de México.

Todos mis soldados trabajaban. Unos en el rastro. Otros en el molino, en los tranvías o en las bombas de agua. Y los demás en las instalaciones del teléfono, en la planta de luz o como guardianes del orden público. Porque lo único que debe hacerse con los militares en tiempos de paz es ponerlos a trabajar, ya que los soldados ociosos sólo están pensando en pelear y en dar problemas.

Mi gobierno de Chihuahua fue un buen gobierno, para qué negarlo, sobre todo si lo comparo con la mayoría de los gobiernos que México ha tenido en lo que va del siglo. Sumido en el infierno, mi pena grande consiste en las visiones que me hacen saber lo que a la patria le ha ocurrido, sin que nada pueda hacer para remediar tanto desastre.

Nunca abrigué ambiciones de poder político. Y reconozco que hice mal. Porque nuestro pueblo tiene necesidad de ser gobernado, no por políticos cebados con chocolate y acostumbrados a todos los regalos y comodidades de la vida, sino por hombres sencillos, con conciencia de la pobreza que existe en el país, y decididos a terminar con ella.

Ahora he comprendido, con toda una eternidad para las cavilaciones, que no fue desacertado mi gobierno y que debí imponerme para seguir y avanzar en el gobierno. Pero en esos tiempos tenía el convencimiento de ser nada más un hombre de la guerra. Por eso se me hizo lo más natural del mundo recibir la orden de Venustiano Carranza de que entregara el gobierno de Chihuahua al general Manuel Chao. Todavía no conocía las perfidias y marrullerías de don Venustiano, quien según supe después, lo que buscaba con esa medida era enemistarnos a Chao y a mí.

¿Qué pudiera decirles de los gobiernos que ha tenido México en los años posteriores a mi muerte? Que con pocas excepciones han sido gobiernos malos y enemigos del pueblo. El de Calles parece que no fue del todo malo; pero aquel hombre, tal vez sin darse cuenta cabal de lo que hacía, le infirió al país el agravio de un partido de gobierno que se ha convertido en una dictadura. En cuanto a Obregón, mi vencedor en la guerra por más que me pese y quien dispuso mi asesinato, traicionó a la Revolución cuando buscó reelegirse. En buena hora lo mataron. De allí en adelante, Calles se convirtió en un manejador de presidentes, hasta que un buen gobernante, Lázaro Cárdenas, lo mandó a volar, expulsándolo de la nación. Imperdonablemente, Cárdenas le heredó el poder a Manuel Ávila Camacho, un general de escritorio con el que los ideales revolucionarios empezaron a irse para abajo. Fue apenas natural que detrás de él viniera el sonriente licenciado que con su cuadrilla de amigos y ministros se dedicó al saqueo de las riquezas del país. Y en éstas que son peores que las más malas pesadillas, porque son las visiones de la realidad, veo también a López Mateos, asesino de líderes campesinos zapatistas y represor de obreros. Y al matón bilioso de Díaz Ordaz, que le echó encima el ejército a estudiantes y civiles inermes. Y al loco tan hablantín como ladrón que le siguió. Y al infame agachupinado al que ustedes le llaman el perro de la Colina.

¡Y vean lo que son las cosas! Estoy seguro de que yo, un hombre rudo e ignorante, sin escuela ni estudios, hubiera gobernado mejor a nuestro país que esa runfla de catrincitos y perfumados. Comprenderlo y sufrirlo es lo peor del infierno en que me hallo.

Pero en los años del apogeo de la División del Norte, andaba por completo engañado en mi manera de pensar. Y cuando Juanito Reed, aquel periodista gringo simpático y arriesgado, me preguntó:

–¿No ha pensado en la posibilidad de llegar a la presidencia de México?

Con toda mi franqueza le contesté:

–Soy un guerrero, no un hombre de Estado. No estoy bastante educado para ser presidente. Apenas sé leer y escribir. ¿Cómo podría hablar con los embajadores extranjeros y con los licenciados del Congreso? Sería una desgracia para México que un hombre tan impreparado fuera su presidente.

Los periodistas gringos no cejaban en su empeño y volvieron a preguntarme la misma cosa. Así que el 29 de enero de 1914 me vi obligado a hacer las siguientes declaraciones, que aparecieron publicadas en un periódico de el Paso, Texas:

"No tengo ninguna ambición de ser presidente de la República, si triunfa nuestra causa. No deseo para nada tomar el papel del señor Carranza, a quien reconozco como Jefe Supremo de la lucha que defendemos. Deseo que todas las naciones del mundo sepan que no pretendo ser presidente".

¡De veras, qué equivocado estaba entonces!

CAPÍTULO OCTAVO

TRIUNFOS, PROBLEMAS Y BATALLAS

No lo niego. 1914 fue el año de mis grandes triunfos y de mis más victoriosas batallas. Pero fue también el año de mis mayores dificultades y problemas.

Para empezar, debo contarles el altercado tan necio y peligroso de Toribio Ortega con Pánfilo Natera.

Las cosas ocurrieron así:

Le encargué al general Natera que, al frente de una columna de dos mil quinientos hombres, con ocho ametralladoras y ocho cañones, fuera a Ojinaga a batir a los federales de Salvador Mercado, quien había rehecho sus fuerzas y recibido refuerzos orozquistas. Natera salió con sus tropas de la ciudad de Chihuahua el 22 de diciembre de 1913.

Cerca de Ojinaga tuvo su primer encuentro con el enemigo: seiscientos jinetes de Pascual Orozco que intentaron hacerle caer en una emboscada. Pero Natera procedió con valentía y habilidad y en hora y media de tiroteo hizo huir al adversario, que dejó regados en el campo de batalla sesenta muertos y muchos heridos.

Las fuerzas de Pánfilo Natera llegaron a las afueras de Ojinaga el 31 de diciembre, y empezaron a cambiar disparos con los defensores de la plaza. Pero en lo más duro de la batalla, cuando el triunfo empezaba a sonreírles a mis muchachitos, el general Toribio Ortega, segundo en el mando y quien se pensaba con derechos para convertirse en el jefe de la operación, declaró su desacuerdo y empezó a discutir con Pánfilo.

¡Háganme el favor! La desaveniencia desarticuló los esfuerzos de los atacantes, que minutos después tuvieron que replegarse, sufriendo la pérdida de doscientos hombres.

Toribio Ortega, quien proseguía su disputa con el general Natera, se negó a combatir, lo que ocasionó el desconcierto de la tropa y la debilitó más, haciéndola sufrir ochenta bajas más y no pudiendo evitar que le fueran tomados ciento treinta prisioneros, mismos que fueron fusilados sumariamente por los federales.

El martes 6 de enero fui informado de lo que ocurría en las afueras de Ojinaga, enojándome mucho. Y tratando de remediar la situación, les ordené a los generales Rosalío Hernández y Maclovio Herrera que salieran de inmediato en ayuda de mis jefes en conflicto. Poco después, yo mismo con mi Estado Mayor me incorporé en el camino a las tropas de auxilio. A marchas forzadas, el sábado 10 hice contacto con Natera y Ortega, que de inmediato tuvieron que someterse a la disciplina que les impuse.

Entonces ordené el ataque a Ojinaga, que después de sesenta y cinco minutos de combate cayó en nuestro poder. Capturamos numerosos prisioneros y nos adueñamos de la caballada, las ametralladoras y los cañones de los huertistas. Salvador Mercado y Pascual Orozco, en compañía de la mayor parte de sus oficiales, cruzaron la línea fronteriza y se refugiaron en Estados Unidos. Ni modo. ¡Con las ganas que les tenía a los dos cabrones!

Debo haber querido mucho a Toribio Ortega para no mandarlo fusilar por su pendejada de ponerse a pelear, en plena batalla, no con el enemigo, como era su deber, sino con el general al mando de las fuerzas a las que pertenecía. Pero lo puse barrido y regado. Y es justo reconocer que de allí en adelante supo disciplinarse como el mejor, siendo uno de los hombres que me fueron leales hasta el final, cuando en 1916 la tifoidea acabó con su vida.

El general norteamericano Pershing, impresionado por la victoria de Ojinaga, obtuvo permiso para pasar a esa ciudad y felicitarme efusivamente.

¡Quién iba a pensar entonces que tiempo después, al frente de la expedición punitiva iba a convertirse en mi perseguidor!

Andaba entonces en México, escribiendo sobre la Revolución, el periodista gabacho Juanito Reed, como de unos veintiséis años, alto, flaco, güero y de nariz pequeña.

Cuando el general Mercado estuvo estacionado en Ojinaga, antes de nuestro ataque, Juanito Reed intentó pasar a esa ciudad para entrevistarlo. Pero su solicitud fue interceptada por Pascual Orozco, quien le mandó decir que si ponía un pie en Ojinaga lo pasaría por las armas. Valeroso, el gringuito cruzó de todos modos el río y logró entrevistarse con Mercado.

El plan del güerito era esperar el ataque de la División del Norte sobre Torreón, y mientras tanto escribir sobre mi vida. El condenado muchacho supo ganarse mi aprecio con muy buen modo. Me regaló una silla de montar chulísima, un buen rifle y un silenciador. Ganado por ese gesto, lo invité a subir a mi tren y mientras el convoy caminaba platiqué muchas cosas que él apuntaba en su libreta.

Juanito publicó en un periódico de Nueva York distintos aspectos de mí, sin callarse la vez en que, dos semanas antes de avanzar sobre Torreón, mi cuerpo de artilleros me impuso una medalla. Describió bien la formalidad del acto en el Palacio de Gobierno de Chihuahua, diciendo, tal como fue, que llegué a pie por la calle, mientras la banda tocaba el himno nacional.

Y hasta escribió el canijo muchacho que vestía yo un viejo uniforme al que le faltaban varios botones, que no llevaba sombrero y que tenía el greñero alborotado.

Cuando pasado el tiempo alguién me leyó esto, traduciéndolo del inglés, me reí con ganas, pues todo era cierto, ya que cuando anda uno en los menesteres de la guerra, poco tiempo y ganas tiene de arreglarse como los catrines.

Fue en esos días cuando me ocurrió el problema tan peliagudo llamado "caso Benton", que provocó un escándalo internacional y que voy a contarles tal y como estuvo.

En los primeros días de febrero de 1914 me encontraba en Ciudad Juárez, adonde había ido para hacer un fuerte pedido de armas y municiones a los Estados Unidos, aprovechando que el presidente Wilson acababa de expedir un decreto que permitía la libre exportación de armas a México, cuando una noche llegó a buscarme un inglés de nombre William Benton, para reclamarme con altanería la devolución de unas tierras de su propiedad.

Benton había sido el dueño de la hacienda de Santa Gertrudis, en el estado de Chihuahua, y era un hombre de trato despótico con los peones, por lo que decidí entregársela a éstos.

–Vengo a exigirle la devolución inmediata de mis tierras –me dijo Benton.

Le contesté:

–Sus tierras no se las puedo devolver, amiguito, porque ya se las he dado a los pobres. Pero como no quiero perjudicarlo, porque usted es inglés y no conviene que yo levante problemas internacionales, voy a darle lo que valga su hacienda según lo que pagó usted por ella, que más no le he de dar. Y se me larga usted de México y nunca vuelve por aquí.

Benton, en un arrebato de violencia, me contestó con fuertes palabras:

–Yo no vendo mi hacienda a ningún precio, ni soy hombre que se deje robar por un bandido como usted. De modo que ahora mismo me devuelve lo que me pertenece, o aquí mismo lo mato.

Y sin más sacó su pistola, decidido a acabar conmigo. Pero yo era rápido y vigoroso. Así que me fui encima de Benton y sin dificultad lo inmovilicé, llamando a mi guardia para que se lo llevara detenido.

Al saber lo ocurrido, Rodolfo Fierro me dijo:

"Mi general, conforme a mi opinión, no caben misericordias con este inglés. Su pasado no puede ser peor. Ha tratado muy mal a los peones, ha vendido su ayuda a las tropas de Victoriano Huerta y, por si fuera poco, ha venido a intentar matarlo a usted. Vamos fusilándolo ahora mismo, para que de una buena vez pague sus culpas."

Lo cierto es que yo acostumbraba ser inclemente con los explotadores del pueblo y con los enemigos de la Revolución. No hacía mucho había capturado a un rico hacendado, sobre el que pesaba la acusación de haber protegido a los partidarios de Huerta y de tratar muy mal a los campesinos. Temiendo por la vida del hacendado, sus abogados consiguieron que un actuario se presentara ante mí, para hacerme saber que el juez de distrito acababa de ordenar la suspención de la causa.

Le respondí al actuario:

"Muy bien, amiguito escribano, si se trata de suspender, dígale usted al juez que, adelantándome a sus órdenes, ya suspendí a ese enemigo del pueblo. Que me diga si quiere que lo descolguemos del árbol".

Volviendo al asunto de Benton, ordené que fuera llevado a unos llanos y fusilado. Pero Fierro, mi lugarteniente, con dos oficiales y cuatro soldados sacó al prisionero y lo condujo a un lugar desierto de Samalayuca, donde les ordenó a los soldados que cavaran una fosa. El inglés, que era sin duda un tipo de valor, le dijo a Fierro:

"Oiga, amigo, que hagan el agujero más hondo, para que no me saquen los coyotes".

Fierro se le acercó por la espalda y le dio un balazo en la nuca, empujándolo a la fosa.

La muerte de William Benton causó gran revuelo. La prensa extranjera me acusaba de haber asesinado a un ciudadano de otro país. Inglaterra, país que tenía reconocido como legítimo al gobierno del usurpador Huerta, puso el problema en manos de Estados Unidos.

En mi oficina de Ciudad Juárez recibí la visita del cónsul norteamericano, quien iba a solicitarme las pruebas de que Benton había sido sometido a un consejo de guerra y fusilado conforme al dictamen de un tribunal, y no asesinado a mansalva.

Por supuesto, no pude aportar las pruebas solicitadas y el escándalo arreció. Entonces le hice ver a Rodolfo Fierro que era necesario entregar el cadáver de Benton. Fierro me dijo que eso no era posible, pues se descubriría que el inglés había sido muerto de un balazo en la nuca y no fusilado. Dándome cuenta de la desobediencia con que actuara mi lugarteniente, me disgusté mucho con él y le ordené:

"Pues a ver cómo le hace, pero me presenta el cadáver ése con las huellas del fusilamiento y del tiro de gracia".

Fierro desenterró cautelosamente el cadáver de Benton y lo fusiló para volverlo a enterrar en el panteón municipal. Pero antes, junto con sus ayudantes, dispuso que se le hiciera una autopsia, seguramente amañada, para que un médico legista extendiera el certificado que diera satisfacción a una comisión internacional formada por un representante de Estados Unidos y otro de Inglaterra. Y Adrián Aguirre Benavides, hermano de mi secretario particular, redactó un falso proceso legal, fechándolo el 17 de febrero de 1914. El enredo parecía complicarse, pues de seguro los comisionados no iban a dar por buena la maniobra. Pero finalmente Carranza determinó que Estados Unidos no tenía competencia para intervenir en el suceso y no permitió que la comisión internacional penetrara en territorio mexicano. Como acostumbra decirse, me salvé en una tablita.

Luis Aguirre Benavides, Luisito, mi secretario particular en esa época, era un joven muy trabajador y capaz. Pero en vista de que el trabajo que tenía encomendado era mucho, le permití que contratara a otro joven para que le auxiliara en sus tareas. Se trataba de Miguel Trillo, Trillito, quien me acompañaría hasta la muerte.

Próximas mis grandes batallas, tenía necesidad de un experto en artillería. Y había escuchado muchas veces que el general Felipe Ángeles era el mejor artillero de México. Por eso fue que a finales de febrero de 1914 le envié un mensaje a Venustiano Carranza, a Hermosillo, pidiéndole que me enviara al general Ángeles para incorporarlo a la División del Norte.

Según supe luego, Carranza le mostró mi mensaje a Felipe Ángeles, quien ocupaba el cargo de subsecretario de la Guerra en su gobierno, comentándole con burla mis pretensiones. Ante la sorpresa del viejo barbón, Ángeles aceptó mi petición con interés. A Carranza no le quedó más remedio que autorizar al gran artillero para que se trasladara a Chihuahua para unirse a mis fuerzas.

Cuando días después Felipe Ángeles llegó a la ciudad de Chihuahua, lo recibí con una banda de música y grandes honores militares, diciéndole cuando descendió del carro de ferrocarril que lo condujo:

–Señor general Ángeles, yo y mis tropas miramos en usted al hombre militar y al hombre revolucionario, y por eso es nuestro parecer que sus servicios en los campos de batalla los necesita la causa de la Revolución. Señor, quiero tenerlo junto a mí, pues no siendo yo un militar de carrera, sino soldado hecho en los azares de la vida, la enseñanza de sus conocimientos me ayudará y ayudará a mis tropas, para beneficio de la lucha en que andamos todos.

Felipe Ángeles me contestó:

–Señor general Villa, lo hecho por usted y sus hombres en el terreno de las armas, muestra lo que valen y todo lo que significa su jefe. No espero poder enseñarles nada, pues nada tienen que aprender de mí. Si usted me ha llamado a sus órdenes para el mando de su artillería y para ayudarse con mi consejo, tenga la seguridad de que cumpliré con mi deber siempre, pero no abrigaré nunca en mí ánimo la creencia de ninguna superioridad, que ninguna tengo. Actuaré tan sólo con el pensamiento de estar unido a hombres revolucionarios y militares como yo. Tocante a la persona de usted, mi general, quiero decirle, porque así me lo dicta mi juicio, que son muy grandes sus hazañas en la guerra. Batallas suyas como la de Tierra Blanca y como la de Ojinaga honrarían a cualquier militar educado en los colegios. Pancho Villa es un gran general y vengo gustoso a ponerme a sus órdenes.

Nació con ese encuentro una amistad sincera y una gran alianza militar. Sin faltar a la verdad, digo que llegué a sentir verdadera veneración por Felipe Ángeles.

CAPÍTULO NOVENO

MIS GRANDES BATALLAS

El lunes 16 de marzo de 1914 nuestros trenes salieron de Chihuahua rumbo a Torreón, nudo ferroviario tomado nuevamente por las fuerzas huertistas. Éramos siete mil seiscientos soldados a mi mando y al de los generales Felipe Ángeles, Maclovio Herrera, Toribio Ortega, Eugenio Aguirre y José Rodríguez. En los vagones de la artillería llevábamos veintinueve cañones de diferentes calibres, mil setecientas granadas y numerosas ametralladoras.

En Torreón, Gómez Palacio y Ciudad Lerdo se encontraban acuartelados los federales que formaban la División del Nazas, y otros contingentes militares, un total de diez mil hombres al mando del general José Refugio Velasco, quien disponía de diecinueve piezas de artillería y se hallaba parapetado en Gómez Palacio, con la intención de impedirnos a toda costa el paso hacia Torreón.

El martes 17 nuestros trenes se detuvieron unas horas en Santa Rosalía de Camargo, donde se nos unieron el general Rosalío Hernández con sus seiscientos hombres y varias partidas de revolucionarios.

Eran muy grandes nuestros deseos de pelear. Nos dábamos sin embargo nuestro tiempecito para los asuntos del amor y visitar a las muchachas de los pueblos y rancherías. ¡Qué muchachas tan chulas! Las de Santa Rosalía y San Andrés son las más bonitas de México.

En Bermejillo, Ángeles y yo nos comunicamos telefónicamente a Gómez Palacio con el general Velasco, invitándolo sin resultado a rendir Torreón.

El domingo 22, mientras Maclovio Herrera atacaba y se apoderaba de Ciudad Lerdo, llegué con mis tropas a las afueras de Gómez Palacio, donde se habían atrincherado los generales Eduardo Ocaranza, Ricardo Peña, Agustín Valdés y Benjamín Argumedo. Esperaban contener nuestro avance para que no llegáramos a Torreón, y colocaron lo mejor de su artillería en el Cerro de la Pila.

Desde el lunes 23 lanzamos furiosos ataques sobre Gómez Palacio, pero fuimos rechazados una y otra vez por los federales. Felipe Ángeles situó correctamente su artillería. Sin embargo, no pudo utilizarla convenientemente, para no matar a mis muchachitos de la División del Norte que peleaban cuerpo a cuerpo con los huertistas.

En la madrugada del jueves 26 Refugio Velasco evacuó sigilosamente Gómez Palacio, con sus generales, su ejército y sus armas, en vista de la pérdida considerable que le había ocasionado. Horas después entraba yo a caballo en la población y ocupaba los cuarteles con mis tropas.

El viernes 27 le envié un recado a José Refugio Velasco, quien se había replegado a Torreón, solicitándole una vez más la rendición de la plaza. Ante el fracaso de la gestión, nuestra ofensiva sobre aquella ciudad la iniciamos el sábado 28, cuando la artillería de Ángeles hizo fuego sobre las posiciones enemigas, desde donde nos respondieron con un fuerte cañoneo.

El lunes 30 por la mañana logramos varias penetraciones en la ciudad, apoyados por los certeros disparos de la artillería de Felipe Ángeles.

Debilitadas por nuestros constantes ataques, las tropas federales empezaron a huir el 2 de abril al amparo de las sombras de la noche. A las ocho de la mañana del día siguiente, la División del Norte entraba a Torreón.

El domingo 5 de abril nuestras fuerzas rodeaban San Pedro de las Colonias, donde se encontraban fortificados unos seis mil federales al mando de los generales Javier de Moure y Arnaldo Casso.

José Refugio Velasco logró rehacer su ejército en el pueblo de Soledad, unos cuatro mil hombres a los que movilizó de inmediato con el propósito de atacar por la retaguardia a los villistas que sitiaban San Pedro. Pero nuestros muchachitos, peleando valerosamente en dos frentes, recibieron a las tropas de Velasco con tanta ferocidad, que éstas acabaron refugiándose en la población sitiada.

La guarnición de la plaza sumaba ya diez mil soldados, que eran toda la fuerza en la región lagunera. Convencido de la importancia de la batalla, me dispuse a dar el embate final, que inicié en la mañana del lunes 13 de abril.

Las cargas de caballería, conmigo a la cabeza, se sucedieron una tras otra. Poco después, el ataque se recrudeció por los rumbos del panteón y la estación. Y a las primeras horas de la tarde, el general Velasco, viéndose herido de un brazo, dio la orden de retirada.

Fue entonces cuando Benjamín Argumedo decidió salir, una vez más, al frente de sus jinetes, a rechazarnos. Pero sus hombres, actuando con mucha torpeza, fueron rápidamente vencidos, debido a que casi todos ellos se encontraban borrachos.

A pie, en caballo o en ferrocarril, los maltrechos federales abandonaron San Pedro de las Colonias, rumbo a Saltillo, donde días después se concentraron los restos de las divisiones huertistas del Nazas, del Norte y del Bravo.

En San Pedro de las Colonias encontramos tres mil quinientos cadáveres de federales, que mandé incinerar de inmediato, y capturamos ocho cañones y varios carros llenos de municiones.

Consumados estos triunfos militares, viajé a Chihuahua para encontrarme con Venustiano Carranza, quien se encontraba allí desde el sábado 11 de abril. Recuerdo que me saludó con estas palabras:

–Señor general Villa, las victorias que acaba usted de tener en La Laguna son el mayor paso de nuestra causa. La Revolución lo felicita y todos esperamos que seguirá usted por ese camino de triunfos.

Le contesté:

–Señor, cada uno de los hombres que militan en la división del Norte han actuado en el cumplimiento de su deber. Yo los mando a ellos según me aconsejan mis luces, pero ellos son los verdaderos vencedores de mis batallas. Tengo al señor general Felipe Ángeles, de mucho conocimiento en cosas de artillería;

tengo a mi compadre Tomás Urbina, al general Maclovio Herrera, al general Toribio Ortega, al general José Isabel Robles, al general José Rodríguez, al general Rosalío Hernández, al general Eugenio Aguirre Benavides y a todos mis otros generales, todos ellos de muchas hazañas en la guerra y que son los que me ayudan en estos triunfos.

Pero lo cierto es que más allá de sus buenas palabras de bienvenida, Carranza era un viejo altanero y antipático, que se puso luego a hablarme en términos legales que yo no comprendía, y que a cada rato me recordaba "la diferencia de nuestros orígenes". Era pues uno de esos políticos chocolateros, mañosos y alejados del pueblo, que desde los primeros momentos ma manifestó una profunda desconfianza y una gran hostilidad de clase.

En esos días, una noticia inesperada puso duelo y preocupación en la marcha de la Revolución. Los marinos de Estados Unidos desembarcaron en el puerto de Veracruz, ocasionando la heroica defensa de los cadetes de la Escuela Naval y el pueblo veracruzano.

Yo regresé a Torreón, donde había instalado mi cuartel general y donde poco después me visitó Carranza, en aceptación de la invitación que le hice en Chihuahua para que comprobara el avance de la Revolución en la comarca lagunera.

Durante su estancia en Torreón, el viejo barbas de chivo convocó a mis generales de la División del Norte para proponerles que marcharan con sus fuerzas sobre Saltillo, la capital del estado de Coahuila, con el fin de arrebatar esa plaza al huertismo.

Pero Ángeles y yo teníamos otros planes y así se lo hicimos saber al Primer Jefe.

Proyectábamos avanzar quinientos kilómetros al sur y apoderarnos de Zacatecas, para de esta manera abrir a la Revolución el camino hacia el centro del país. Con su enorme terquedad, Carranza se opuso a ello. Y después de mucho discutir, exclamé: "¡Bueno, pues vamos a darle gusto al Jefe. Si el Jefe quiere que le tomemos primero Saltillo, pues vamos a tomarle Saltillo!"

Salí con mis hombres hacia la capital del estado de Coahuila. Y mientras mis muchachitos se detenían por más de una semana para reparar los veinticinco kilómetros de vías destruidas que impedían nuestro avance, el viejo Carranza me hizo una mala jugada. Fue a Sombrerete a verse con los generales Pánfilo Natera y Domingo y Mariano Arrieta, con los que en ese entonces andaba yo enemistado, y les dio el encargo de atacar la ciudad de Zacatecas.

En Estación Hipólito fui informado de que en la población de Paredón se hallaban fortificados cinco mil hombres del enemigo, con diez piezas de artillería y al mando del general Ignacio Muñoz. Y mis avanzadas de reconocimiento me dieron la noticia de que el número de federales en la región era de diecisiete mil: los cinco mil de Paredón, dos mil apostados en Ramos Arizpe, al mando de Pascual Orozco y diez mil en Saltillo, comandados por Joaquín Mass, general en jefe de todos los efectivos huertistas en la comarca.

La mañana del domingo 17 de mayo de 1914 mi caballería se lanzó a todo galope sobre Paredón. Desprevenida, la guarnición intentó organizar la defensa. Pero era demasiado tarde: en pocos minutos la tromba a caballo de mis muchachitos cayó sobre los pelones y los derrotó. Causamos a los huertistas tres mil bajas entre muertos, heridos y prisioneros. Los restantes dos mil huyeron hacia Saltillo. Uno de los enemigos caídos fue el general Ignacio Muñoz.

Enterado en Saltillo del desastre en Paredón, el general Joaquín Mass ordenó la evacuación de la plaza el domingo 20 de mayo, muy de mañana. Pronto se le incorporaron los dos mil hombres de Pascual Orozco, que abandonaron Ramos Arizpe. La retirada de todos aquellos hombres, primero por tierra y luego por ferrocarril, fue terrible, porque disponían de muy escasas provisiones e incluso les faltaba el agua. Así cruzaron quinientos kilómetros de regiones desérticas, hasta llegar extenuados, en los primeros días de junio, a San Luis Potosí.

Telegráficamente le informé a Carranza de mis nuevos triunfos, y procedí a concentrar mis tropas en Torreón, donde un día, al pasarles revista, me llamó la atención un listón dorado que los miembros de la Brigada Cuauhtémoc llevaban en su vestimenta, y que decía:

"Escolta de Trinidad Rodríguez. Dorados".

El nombre me gustó mucho y le dije a Trinidad Rodríguez:

–Te felicito por lo bien uniformados que tienes a tus muchachos. Nada más que el nombre de dorados me agrada mucho y te lo voy a robar para ponérselo a los muchachitos de mi escolta. Tú ponle otro a los de la tuya.

Me contestó Trinidad:

–De acuerdo, mi general Villa, desde ahora los hombres de su escolta serán los dorados y los de la mía tomarán el nombre de los plateados.

Muy contento me hallaba de haberme adueñado de aquel nombre para mi escolta, y de mis triunfos en Paredón y Saltillo, cuando el 9 de junio de ese año de 1914 me llegó un mensaje de Carranza que me llenó de cólera. El comunicado decía:

"Señor general Francisco Villa: Me informa el general Pánfilo Natera que hoy empezará su acción sobre Zacatecas. Le ordeno a usted que el jefe de las fuerzas suyas más cercanas a Zacatecas esté listo para llevar su auxilio a dicho general, si las circunstancias así lo requieren".

¡Estúpido viejo barbón! ¡De manera que tonta y ladinamente le encargaba la toma de Zacatecas a Natera, quien ya había fracasado en Ojinaga, plaza que sólo cayó gracias a mí, Pancho Villa! Natera no tenía tamaños para una operación de tal importancia, y mucho me dolía que don Venustiano, terco como su chingada madre, me negara la oportunidad de encargarme de esa gran batalla.

Como era de esperarse, las fuerzas constitucionalistas de Pánfilo Natera y los hermanos Arrieta fueron rechazadas por la caballería de Benjamín Argumedo. Entonces don Venustiano me telegrafió ordenándome el envío de tres mil hombres y dos baterías de artillería.

Le contesté proponiéndole movilizar sobre Zacatecas a toda la División del Norte, para asegurar el éxito de la operación y aminorar el sufrimiento de la tropa.

La respuesta de Carranza fue que me limitara a enviarle cuanto antes a Natera los efectivos solicitados. Yo repliqué mañosamente que el general José Isabel Robles no había podido salir con las fuerzas solicitadas por encontrarse enfermo. Y el sábado 13 de junio le dirigí un mensaje más al viejo cabrón, diciéndole: "No puedo auxiliar al general Natera antes de cinco días porque el movimiento de las tropas no puede hacerse antes de ese plazo. ¿Quién les ordenó a esos señores que se metieran en lo barrido sin tener la seguridad del éxito total? Yo no voy a sacar a gente de la División del Norte a mi mando para ponerla bajo las órdenes de los Arrieta o de Natera, ni a tomar las plazas para que sean ellos los que entren. Y de entrar yo a Zacatecas no voy a permitir que las fuerzas de esos generales cometan desórdenes, y de esa manera va a haber dificultades y creo que vamos a ir para atrás. Ahora que si usted piensa que soy un estorbo y quiere que otro se ponga al mando de mis hombres, quiero saber quién es él para darme cuenta si resulta capaz. Le hago estas observaciones con el único fin de cuidar a mis soldados".

Carranza me contestó:

"No es necesario ni conveniente que se separe usted el mando de sus tropas, pero ya que insiste en ello deberé aceptar, en bien de la causa y del Ejército Constitucionalista que me honro en mandar".

Completamente enchilado y dejándome llevar por el impulso, le respondí:

"He resuelto retirarme del mando de la División del Norte. Sírvase decirme a quién debo entregar ese mando".

La respuesta del barbón no se hizo esperar:

"Con verdadera pena me veo precisado a aceptar su dimisión a la jefatura de la División del Norte, agradeciéndole en nombre de la nación los importantes servicios que ha prestado a nuestra causa, y esperando pase usted a encargarse del gobierno del estado de Chihuahua".

Pero Carranza se equivocó de medio a medio al suponer que despojarme de mi puesto de mando era cuestión de un pinche mensaje suyo. Mis generales de la División del Norte, profundamente leales a Pancho Villa, me convencieron de que me desdijera de mi renuncia, jurándome lealtad y asegurándome que me consideraban su jefe único. Y telegráficamente le rogaron al viejo barbón que abandonara su decisión de aceptar mi renuncia.

La respuesta de Carranza fue digna de él:

"Lamento informarles que me es imposible cambiar la decisión de aceptar la dimisión del general Villa. La disciplina del ejército así lo exige".

¡Pero qué esperanzas que fueran a dejarse mis muchachitos! Leales a morir, con una amistad y una fidelidad que eran respeto y cariño nacidos en la lucha y en la vida diaria, mis generales se llenaron de indignación al conocer el mensaje de don Venustiano Carranza. Y Maclovio Herrera, en un arrebato de ira y pistola en mano obligó al telegrafista a enviarle a Carranza este telegrama:

"Permítame decirle, señor, que es usted un hijo de puta".

Los demás jefes villistas le enviaron al viejo un duro y último mensaje, en el que creo recordar que le decían:

"Si no tomamos en cuenta la disposición en que usted ordena al general Francisco Villa dejar el mando de la División del Norte, es porque no podemos tomar otra actitud en contra de esa determinación impolítica, anticonstitucionalista y antipatriótica. Hemos convencido al señor general Villa de que los compromisos que tiene contraídos con la Patria lo obligan a continuar al mando de la División del Norte, como si usted no hubiera tomado la malévola resolución de privar a nuestra causa democrática de su jefe más prestigiado, en quien los liberales mexicanos tienen cifradas sus más caras esperanzas. Si él lo escuchara a usted, el pueblo mexicano no sólo lo maldeciría a usted por su resolución tan disparatada, sino que llenaría también de vituperios al hombre que, en camino de libertar a nuestro país de la opresión brutal, abandona las armas por sujetarse a un principio de obediencia a un jefe que va defraudando las esperanzas del pueblo con su actitud dictatorial. Sabemos bien que esperaba usted la ocasión de apagar un sol que opaca el brillo suyo, y contraría su deseo de que no haya en la Revolución hombre de poder que no sea incondicional carrancista. Pero sobre los intereses personales de usted están los del pueblo mexicano, al que le es indispensable la espada victoriosa del general Villa".

Manuel Chao, a quien Carranza había nombrado gobernador de Chihuahua y al que suponía que por ello era su incondicional, le hizo llegar al día siguiente este telegrama que al viejo le debe de haber sentado como purga:

"Considero y apruebo en todas sus partes el mensaje que ayer le pusieron a usted los generales de la División del Norte, a la que desde este momento vuelvo a incorporarme con toda mi gente, a las órdenes de mi verdadero jefe, el general Francisco Villa".

Lleno de resentimiento, el viejo barbas de chivo le envió un comunicado a Felipe Ángeles, informándole que lo destituía de su cargo de subsecretario de la Guerra, por así convenir al buen nombre del ejército, y debido a que no había sabido corresponder a la confianza que se le dispensara.

Por mi parte, tan pronto me vi reconocido por mis generales, lleno de gusto apresuré mis preparativos para salir, al frente de mis tropas, hacia Zacatecas, último gran reducto del huertismo. Y el lunes 15 de junio reuní a los jefes de la División del Norte para trazar el plan de ataque.

Cuatro días más tarde, Felipe Ángeles y Manuel Chao empezaron a efectuar exploraciones a caballo por las cercanías de Zacatecas, y tuvieron una escaramuza con las avanzadas huertistas, a unos catorce kilómetros de esa ciudad. El general villista Trinidad Rodríguez acudió en su auxilio con un grupo de jinetes y salieron bien librados del encuentro.

El sábado 20 de junio, el general Ángeles volvió a salir en expedición de reconocimiento; y en Veta Grande, un mineral abandonado a siete kilómetros de Zacatecas, encontró un terreno apropiado para instalar varias de sus piezas de artillería. Desde allí pudo avistar con sus prismáticos a las tropas federales acantonadas, que se hallaban al mando del general Luis Medina Barrón.

El domingo 21 se envió de la ciudad de México al coronel huertista Manuel Ballesteros con un cargamento de un millón de cartuchos y quinientas granadas para abastecer la guarnición de Zacatecas, pero estos pertrechos no pudieron llegar a poder de Medina Barrón porque mis villistas destruyeron las vías del ferrocarril.

Los preparativos de los pelones para la defensa de Zacatecas eran impresionantes. Dos hombres de Benjamín Argumedo, el general Antonio Rojas y el coronel Pablo de los Santos, se hallaban colocados con sus tropas en posiciones casi inalcanzables en los cerros de La Sierpe y El Padre, a los cuales sólo podía llegarse por angostas veredas que serpenteaban entre peligrosos desfiladeros. En las faldas rocosas de los montes se desplegaban abundantes efectivos de infantería, caballería y artillería. Y alambradas con púas rodeaban las fortificaciones construidas con grandes piedras, detrás de las cuales se parapetaban grupos de tiradores. Todo ello me fue informado detalladamente por mis servicios de espionaje.

Los trece cañones federales se advertían amenazantes en las alturas de los cerros de La Bufa y El Grillo.

Yo llegué por ferrocarril con la mayor parte de mis tropas a la población de Calera, a veinticinco kilómetros de Zacatecas. Me sentía francamente orgulloso de mis trenes. Treinta y tantos vagones hospitales con todos los adelantos de la época, esmaltados de blanco por dentro y con todo el instrumental quirúrgico necesario. Y mi bonito vagón personal, llevaba mi nombre en letras de oro sobre sus costados.

Una vez que llegamos a Calera, monté de inmediato en uno de mis mejores caballos y salí a hacer un reconocimiento. En mi recorrido me encontré con Felipe Ángeles, quien colocaba sus cañones en los puntos estratégicos. Aprobé, pues me pareció muy acertado, el plan de Ángeles, que consistía en disparar sus cañones para que en el acto la caballería y las tropas de infantería se lanzaran al asalto de los cerros. El gran artillero me dijo:

"La artillería intimida. Al tronar los cañones, el enemigo se esconde y nuestras tropas avanzan; y cuando el enemigo vuelve a asomar la cabeza, ya tiene encima a la infantería de nosotros y abandona apresuradamente sus posiciones".

Amagado Zacatecas por no menos de veintitrés mil hombres, con la fuerza artillera de veinticinco cañones en el norte, diez en el sur (con el cañón llamado El Niño sobre su plataforma en la vía del tren) y otras doce piezas situadas más al norte, aunque algo más retiradas, yo, Pancho Villa, di la orden de ataque el martes 23 de junio a las diez en punto de la mañana.

Al mediodía, bajo el estruendo de los cañones de Felipe Ángeles y de los federales, avancé al frente de la brigada Cuauhtémoc, rodeado por mis fieles dorados, sobre el cerro de Tierra Colorada, mientras mis otras brigadas arremetían contra los demás cerros donde los federales resistían parapetados y barriendo con el fuego de sus fusiles y las ráfagas de sus ametralladoras a nuestras columnas, que sin atemorizarse por la lluvia de muerte escalaban los áridos y pedregosos montes, mientras gritaban:"¡Viva Villa, pelones jijos de su huertista madre!"

En el asalto al cerro de La Sierpe, uno de mis más jóvenes e intrépidos generales, Trinidad Rodríguez, rodó muerto, víctima de una ráfaga de ametralladora.

La toma de El Grillo nos costó muchas vidas. A eso de la una de la tarde teníamos casi su posesión total. Pero de pronto los federales volvieron sobre sus pasos, en un intento desesperado de recuperar la posición perdida. Frustré ese contrataque al ordenar que los cañones de los capitanes Quiroz y Durón fueran emplazados en el cerro de Tierra Colorada y abrieran fuego sobre los huertistas que trataban de recobrar su posición a como diera lugar.

El cerro de La Bufa, último baluarte de las fuerzas federales, cayó a las cinco de la tarde. A esa hora, los pelones bajaban atropelladamente por los cerros que rodean a Zacatecas y buscaban ansiosamente una salida. Pero los hombres de Toribio Ortega y Maclovio Herrera les cerraban el paso por la estación del ferrocarril, y los de Natera y los hermanos Arrieta por el camino al pueblo de Guadalupe.

De pronto una explosión tremenda sacudió la ciudad y repercutió con ecos espantosos en los cerros, levantando una espesa humareda blancuzca en el centro de Zacatecas. Un oficial federal acababa de volar el edificio de cantera en donde los huertistas almacenaban sus armas y su parque.

Al atardecer, cuando los federales sobrevivientes atrapados en las calles de Zacatecas intentaban encontrar un camino de huida, sin acertar cómo ni por dónde, un hombre cabizbajo y de catadura feroz, montado en un caballo colorado, bajó por el rumbo de La Bufa y se perdió a lo lejos en medio de la confusión reinante. Era Benjamín Argumedo, el famoso León de la Laguna, mi más enconado y valeroso adversario. La gente del pueblo que lo reconoció no se atrevió a delatarlo, así de grande era el miedo que le tenían.

En la batalla de Zacatecas, la más importante de la Revolución, murieron cerca de cinco mil de mis muchachitos, y una cantidad un poco mayor de federales. Gran triunfo de la División del Norte y de su general en jefe, en ella quedó aplastado el poderío militar de Victoriano Huerta.

CAPÍTULO DÉCIMO

CONFLICTOS ENTRE REVOLUCIONARIOS

Después de la victoria de Zacatecas, los villistas queríamos seguir avanzando hasta Aguascalientes, para preparar nuestra entrada a la capital del país. Pero Venustiano Carranza, taimado y resentido, impidió el paso de los trenes con el carbón y las municiones indispensables para mover mis convoyes y mis tropas. Así que dejé mis avanzadas en Zacatecas, dispuse que Felipe Ángeles se replegara a Chihuahua y regresé a Torreón.

Pero Victoriano Huerta aún no se daba por vencido. Y enviaba a la muerte a miles de infelices enrolados por medio de las levas. Y aunque era claro que Carranza me odiaba, todavía le era necesario y no quería romper conmigo de manera definitiva. Por lo que dio su consentimiento y su apoyo para una reunión de aveniencia en Torreón, entre los generales de la División del Norte y los de la División del Noroeste.

Las pláticas se iniciaron el 4 de julio de 1914, y el 8 de julio siguiente se firmaron los acuerdos conocidos como Pacto de Torreón, cuyos puntos más importantes establecían que la División del Norte reconocía a Carranza como Primer Jefe; que la jefatura constitucionalista me seguiría reconociendo como general en jefe de la División del Norte; que se me proveería de los elementos y pertrechos de guerra necesarios, conforme a las disponibilidades; que ambas partes procuraríamos convencer al gobernador de Sonora, José María Maytorena, que estaba en conflicto con Obregón y con Carranza, de que se retirara del cargo y lo dejara a algún revolucionario imparcial entre él y sus adversarios; que al hacerse cargo Carranza del Poder Ejecutivo, luego de la derrota final de Huerta, convocaría a una convención de jefes constitucionalistas y que el objetivo de dicha junta sería fijar la fecha de las elecciones presidenciales.

Una semana después de que se firmaron los acuerdos de Torreón, Victoriano Huerta presentó su renuncia a la presidencia, quedando en su lugar el licenciado Francisco Carbajal, como presidente interino.

Carbajal quiso aprovechar la discordia que permanecía latente entre Carranza y yo, y me envió un representante personal que me dijo lo siguiente:

–Señor general Villa, vengo en nombre del señor licenciado Francisco Carbajal, presidente interino de nuestra República. Según él opina, ausente Victoriano Huerta, no existe causa de lucha entre los mexicanos. El señor Carbajal quiere entregar al gobierno a la Revolución y para ello busca entenderse con los jefes revolucionarios. Dígame, señor general, cuáles son sus condiciones para que el ejército federal se rinda.

Recuerdo que le contesté:

–No es a mí a quien debe usted pedir esas condiciones. Yo sólo soy el jefe de la División del Norte, no el jefe de todo el ejército revolucionario, ni el jefe de nuestro gobierno. El señor Francisco Carbajal debe dirigirse al señor Carranza, y por el señor Carranza conocerá usted nuestras condiciones para la rendición.

Pero Carranza conservaba todo su encono hacia mi persona. Y se negó a darle a la División del Norte la categoría de cuerpo del ejército. Me negó también el ascenso a general de División. Y molesto también con Felipe Ángeles, se opuso a restituirlo en su cargo de subsecretario de la Guerra.

Y no fui yo, autor de la victoria, el que entró a la ciudad de México a mediados de agosto de 1914, al frente de las tropas revolucionarias, sino Álvaro Obregón. Bien comprendía que la ambición del señor Carranza consistía en privarme de las dulzuras de ese triunfo, y en quitárselo también a todos mis hombres, que lo habían ganado con sus sufrimientos y su sangre. Y pensaba con tristeza que mi destino era ganar las grandes batallas para que otros generales recogieran las flores del verdadero vencedor. El gobierno constitucionalista resolvió que Obregón y yo fuéramos a arreglar el problema de Sonora con José María Maytorena. Y el 24 de agosto, Obregón llegó a la ciudad de Chihuahua, donde por primera vez en la vida nos vimos las caras.

Le dije:

–Mira, compañerito, si hubieras venido con tropa nos hubiéramos dado nuestros buenos balazos, pero como viniste solo no tienes por qué desconfiar, pues Francisco Villa no es un traidor. Los destinos de la patria están en tus manos y las mías. Unidos los dos, en menos de la minuta dominaremos el país, y como soy un hombre oscuro, tú serás el presidente.

Comprendo que hice mal en decirle tales palabras. Lo cierto es que él me contestó con muy buen juicio:

–La lucha ha terminado, no debemos pensar en más guerras. En las próximas elecciones triunfará el hombre mejor y el que cuente con mayores simpatías.

Obregón y yo nos trasladamos a Nogales para encontrarnos con el gobernador Maytorena, quien nos hizo ver que los generales Alvarado y Calles, validos de su poder militar, le ocasionaban muchos problemas.

No ocultaba yo mi simpatía por Maytorena, buen amigo mío, y apoyaba sus razonamientos. Y después de mucho discutir, acordamos que el general Juan G. Cabral se trasladara a Sonora para sustituir a Maytorena como gobernador y hacerse cargo de la comandancia militar en el estado, comprometiéndose a dar garantías a Maytorena y sus partidiarios, y a restablecer el orden.

Obregón y yo regresamos a Chihuahua en tren, discutiendo durante todo el trayecto. Obregón hablando en contra de Maytorena y yo en su favor.

Una vez en Chihuahua, Obregón se regresó a la ciudad de México, adonde empecé a mandarle telegramas urgiéndole que salieran de Sonora las tropas del general Benjamín Hill, pues estaban dedicadas a causarle problemas a Maytorena, además de causármelos a mí en Chihuahua. Y lo apremiaba a enviar cuanto antes a Sonora, según lo convenido, al general Cabral, para que se hiciera cargo del gobierno y de la jefatura militar en ese estado.

Obregón regresó a Chihuahua el 16 de septiembre de aquel año de 1914. Llegaba a invitarme a nombre de Venustiano Carranza a la convención de jefes revolucionarios a la que se acababa de convocar.

En la tarde del jueves 17, al entrar Obregón en mi despacho, le grité con mucho enojo:

–¡El general Hill está creyendo que va a jugar conmigo! ¡Y usted es un traidor al que voy a pasar por las armas en este mismo momento!

Y dirigiéndome a mi secretario Luis Aguirre, le dije:

–Telegrafíe usted al general Hill en nombre de Obregón, que salga inmediatamente de Casas Grandes.

–¿Pasamos este telegrama? –le pregunté provocadoramente a Obregón.

Este dio su consentimiento, pero yo seguía muy disgustado y le ordené a uno de mis ayudantes:

–Pídame por teléfono veinte hombres para fusilar de inmediato a este traidor.

Obregón dijo con entereza:

–Desde que puse mi vida al servicio de la Revolución he considerado que será una fortuna para mí perderla.

Yo continuaba muy exaltado y a cada rato repetía:

–Ahorita mismo lo voy a fusilar... ahorita mismo lo voy a fusilar... Ahorita mismo lo voy a fusilar...

La noticia de que pretendía pasar por las armas a Obregón se extendió. Y mi esposa Luz acudió a mi despacho con la intención de apaciguarme. Me preguntó:

–¿Qué es lo que pasa aquí, Pancho?

Le respondí:

–Que voy a fusilar a este tal por cual de Obregón, pues ya me cansé de sus enredos y mentiras.

Mi mujer me dijo:

–Está bien, Pancho, como tú digas; pero si lo fusilas, mañana los periódicos de México y del extranjero van a decir que Francisco Villa mandó fusilar a un compañero, cuando éste era su huésped y tú sabes que la hospitalidad es sagrada en todas partes.

Respiré profundamente y conseguí calmarme.

–No te preocupes, Güera, ya pasó todo.

No le reprocho a la Güera lo que hizo, porque fue con la mejor de las intenciones. Pero no dejo de pensar que si me hubiera dejado fusilar a Obregón aquella tarde, ni me hubiera derrotado éste en 1915, ni me habría mandado asesinar en julio de 1923. Pero lo cierto es que en la escabrosa senda de la vida cada hombre tiene marcado su propio destino.

El lunes 21 de septiembre, Obregón emprendió al regreso a la ciudad de México en compañía de mis generales José Isabel Robles y Eugenio Aguirre Benavides. Apenas llevaban unas horas de viaje cuando por telégrafo di la orden de que el tren regresara a Chihuahua. Había recibido un mensaje en el que Carranza me regañaba con violencia, y me pedía explicaciones sobre mi conducta con el perfumado, al que quise mostrarle el telegrama con el que le daba respuesta a don Venustiano, y que decía así:

"En contestación a su mensaje, le manifiesto que el general Obregón y dos generales de esta División salieron anoche a esa capital con el objeto de tratar varios asuntos relacionados con la situación general de la República. Pero en vista de los procedimientos de usted, que revelan su deseo de poner obstáculos para el arreglo satisfactorio de todas las dificultades, y llegar a la paz que tanto deseamos, he ordenado que suspendan su viaje y se detengan en Torreón. En consecuencia, le participo que la División del Norte no concurrirá a la convención a la que usted ha convocado, y desde luego le participo nuestro desconocimiento como Primer Jefe de la República, quedando usted en libertad de proceder como le convenga".

Pero en vista de que Lucio Blanco y otros generales trabajaron duro por la reconciliación entre los revolucionarios, mis generales y yo decidimos suspender temporalmente nuestros conflictos con la Primera Jefatura, para dar oportunidad a que el sábado 10 de octubre de ese año de 1914 se reuniera una nueva convención de jefes en Aguascalientes, o bien que la que en esos días se iniciaría en la capital del país se trasladara a aquella ciudad.

Las sesiones de la convención presidida por Carranza en la ciudad de México dieron comienzo el jueves primero de octubre. Hubo cuatro acaloradas reuniones. En la última de ellas el viejo barbas de chivo se dedicó a hablar mal de mí y finalmente presentó su renuncia al puesto de encargado del poder ejecutivo.

Carranza se retiró de la Cámara de Diputados y entonces Luis Cabrera, uno de sus achichincles, pidió la palabra y votó por don Venustiano. Y luego de un fuerte debate, se envió una comisión a la casa del viejo, para informarle que su renuncia no había sido aceptada.

El 5 de octubre, después de muchas controversias, se resolvió el traslado de la dichosa Convención a la ciudad de Aguascalientes, donde se continuarían los trabajos a partir del día 10, en el teatro Morelos de la referida ciudad. Participaron cien delegados, entre los que figuraban treinta y siete de la División del Norte, encabezados por Felipe Ángeles. En la sesión del día 14 los convencionistas, después de prestar juramento, estamparon sus firmas en el color blanco de la bandera nacional extendida sobre una mesa.

El sábado 17 me presenté a saludar a los convencionistas, acompañado de mi Estado Mayor. Nos recibieron con estruendosas ovaciones y gritos de "¡Viva Villa!" Luego, el general Antonio I. Villarreal me invitó a subir al estrado, desde donde le hablé a la asamblea más o menos en estos términos:

"Compañeritos, señores generales y oficiales que supieron estar a la altura del deber para que todos acabáramos con la tiranía del gobierno de Victoriano Huerta: sobre nada puedo yo orientarlos ni iluminarlos, pero van a oír las palabras de un hombre que llega delante de ustedes con toda la incultura que lo persigue desde la hora de su nacimiento. Y si hay aquí hombres de saber y de conocimiento que comprendan los deberes que se tienen con la patria, y los sentimientos con la humanidad, Francisco Villa no hará que esos hombres se avergüencen de él. Porque yo, señores, no pido nada para mí; yo sólo salí a la lucha en el cumplimiento de mis deberes, y no quiero nada que venga en beneficio de mi persona, ni en pago de mis servicios, sino que todo sea para el bien del pueblo y en alivio de los pobres. Nomás esto les digo: quiero ver claros los destinos de mí país, porque mucho he sufrido por él, y no consiento que otros hombres mexicanos, mis hermanos, sufran lo que yo he sufrido, ni que haya mujeres y niños que sufran lo mucho que he visto sufrir por esas montañas y esos campos y esas haciendas. En manos de ustedes que son personas de leyes y de saber, pesará toda la responsabilidad..."

No pude seguir porque las lágrimas me brotaron en medio de los aplausos con que todos aquellos hombres allí reunidos me obsequiaron.

En una sesión posterior se decidió enviar a la ciudad de México una comisión que invitara a Carranza para que se presentara a rendir su protesta. Pero el viejo altanero y terco se negó a asistir.

El 27 de ese mes de octubre llegaron los representantes zapatistas, y con ellos se continuaron los trabajos. Y el día 30 se tomó una decisión que mucho me descontroló: Carranza quedaba cesado como jefe del Ejército Constitucionalista y a mí se me quitaba la jefatura de la División del Norte. Me acuerdo que me encontraba en mi carro privado del ferrocarril cuando una comisión fue a notificarme mi destitución. Lleno de nerviosismo les contesté, palabra más, palabra menos:

"Está bien, está bien... Díganles que Pancho Villa se va... Les dejo todo, la División del Norte que yo he formado. No me llevaré sino veinte hombres..."

Estaba con el corazón hecho pedazos, cuando el 6 de noviembre de 1914 la Convención de Aguascalientes nombró presidente provisional de la República al general Eulalio González, y éste tuvo a bien designarme jefe de las fuerzas convencionistas, a las que pertenecía mi División del Norte.

Carranza no renunció al poder ejecutivo, y con su Estado Mayor fue a refugiarse al puerto de Veracruz, donde le brindó protección militar su yerno el general Cándido Aguilar. También Obregón envió sus trenes llenos de tropas a Veracruz, para ponerlas a las órdenes del viejo barbas de chivo.

Eulalio Gutiérrez entró a la capital del país el jueves 3 de diciembre de 1914. Tres días después, el mero domingo 6, lo hicieron los treinta mil hombres que formaban para ese entonces la División del Norte, así como los veinte mil del Ejército Libertador del Sur del general Zapata. Al frente de ellos marchábamos a caballo don Emiliano y yo.

Dos días antes nos habíamos reunido en el pueblo de Xochimilco para conocernos. Allí tuvimos una plática de mucha sustancia. Me cayó de veras bien aquel hombre de piel oscura y grandes bigotes negros, mirada profunda y franqueza y seriedad muy grandes, que entre otras cosas me dijo que Carranza era un canalla y que a los oportunistas les iba a caer el machete y se irían mucho al carajo porque eran una punta de sinvergüenzas. Y yo, que no acostumbraba beber de ningún licor, sólo por no desairarlo le acepté un vaso de aguardiente de caña, y le abrí mi corazón para confiarle que Carranza y los carrancistas eran hombres que habían dormido en almohada blandita y por lo mismo jamás serían amigos del pueblo, que toda su vida se la ha pasado de puro sufrimiento. Le dije también que comprendía que la guerra la hacíamos nosotros los hombres ignorantes y la tenían que aprovechar los gabinetes; pero que ya no nos dieran quehacer. Y con gran emoción le manifesté que nuestro pueblo nunca ha tenido justicia ni siquiera libertad y que, pobrecito encuerado, se la pasa trabajando de sol a sol.

Mi general Emiliano Zapata resultaba ser uno de los hombres más desinteresados y verdaderos, y siempre recordaré como uno de los acontecimientos más satisfactorios de mi vida, el abrazo que nos dimos y el juramento que cambiamos entre ambos de seguir luchando hasta la muerte, mientras no se alcanzara algún beneficio cierto para el pueblo.

El desfile de villistas y zapatistas, el domingo de nuestra entrada a la ciudad de México, duró ocho horas y terminó en el Zócalo. Yo traía mi uniforme de general y don Emiliano Zapata llevaba un bonito traje de charro y un ancho y fino sombrero. Puede decirse que jamás se había visto en México una ocupación militar más ordenada y numerosa. Hubo muchos aplausos y vivas. Y las señoras y señoritas nos saludaron desde los balcones con una lluvia de flores.

Al terminar el desfile, don Emiliano y yo entramos al Palacio Nacional, donde al mirar la silla presidencial hicimos comentarios de burla sobre la ambición que ese mueble despierta en los políticos. Riéndome y nomás de pura puntada me senté en aquel sillón dorado, con el general Zapata y el zapatista Otilio Montaño a mi izquierda, y mi compadre Urbina a la derecha.

Se sirvió un banquete en nuestro honor en uno de los salones del Palacio. Y se sentaron con nosotros a la mesa varios catrincitos, como José Vasconcelos, Rodrigo Gómez, Valentín Gama, y otros. Tiempo después, Vasconcelos anduvo hablando y escribiendo mal de mí, pero ese día estuvo demasiado labioso y lambisconcito conmigo.

Menos de un mes permanecí con mis muchachitos en la ciudad de México, rancho que resultó demasiado grande para nosotros, mareándonos y haciéndonos caer en los peores excesos y barbaridades. No me engaño. Fui en ese corto tiempo un verdadero cabrón, matón, abusivo y sanguinario sin necesidad. Fueron en parte los aduladores los que me hicieron perder la cabeza. Y fue también la soberbia de saberme dueño de la más importante ciudad del país, con treinta mil hombres armados y leales a mi servicio.

Y no sólo cometí desmanes que aumentaron la carga de mis culpas y pecados. Sino que permití además que mis muchachitos los cometieran. Nos encrespábamos con facilidad y nos reíamos y abusábamos en diferentes formas de las personas buenas y decentes.

Siempre fui un mujeriego. Pero hasta entonces no les había hecho violencia a las mujeres, buscándoles el modo de llegar a un entendimiento con ellas. Sin embargo, en ese diciembre maligno fui un barbaján que se llevó por la fuerza a cuanta mujer le gustó, pues me sentía con derechos para hacer todo lo malo y arbitrario que mis antojos me pedían.

En el hotel Palacio, por ejemplo, me gustó la cajera, una señorita muy linda que quise robarme. La administradora del hotel, una señora francesa, se opuso a mi deseo y la protegió. Encorajinado, encerré a la vieja en su oficina, amenazándola con tenerla bajo llave hasta que accediera a mi capricho. Para mi vergüenza, tuvo que intervenir la embajada de Francia con el fin de que no me saliera con la mía. Aunque la verdad es que no todas las mujeres se me resistían. Hubo muchas hembras guapas, lo mismo señoras y señoritas, que mujeres de aventura, y hasta catrinas de sociedad que se me ofrecieron descaradamente.

Y no faltaron alcahuetes que buscaron encandilarme con mujeres famosas y caras. Un tal don Ángel, viejo labioso y encaminador, me habló con aspavientos de la mentada María Conesa, primera tiple del Teatro Principal y conocida como La

Gatita Blanca. Y luego de elogiar la belleza y los atractivos carnales de la Conesa, me dijo:

–Lo admira mucho, general.

Le contesté ladinamente:

–Mire, mire, pero qué cosas me dice. ¿Y de qué o por qué me admira la señora ésa?

El alcahuetón me respondió, con mucha labia, que por valiente, por mis triunfos en la guerra y porque las gentes repetían que era yo muy buen hombre.

Me tentó la curiosidad y fui al teatro a conocerla, vistiendo mi uniforme de gala. Y sí, era una hembra atractiva. Blanca, chaparrita, agachupinadita, de cuerpo y piernas bonitas, y cara graciosa. Desde el escenario, me dirigió palabras de admiración y gestos de coquetería. Ni qué decir que acabamos en la cama.

Al día siguiente, el sinvergüenza de don Ángel me fue a ver y me dijo:

–¿Qué le pareció la Conesa, general?

Le contesté:

–Simpática mujer, graciosa.

Insistió el cabroncete:

–¿Y como hembra, general, qué le pareció la Conesa en la cama?

Le respondí con franqueza:

–Una mujer de mucho uso.

–¿Pero, general, cómo es posible que me diga eso? -me preguntó con un gesto de asombro.

Le contesté:

–¡Ah qué las hilachas! Mire, amiguito, se lo diré más claro. La tal Conesita está muy aguada.

Y agregué sin mentir:

–Mis rancheritas de la sierra de Chihuahua, esas sí son hembritas de carnes macizas y nuevas, y mujeres sin tantas presunciones y mañas como la gachupincita ésa.

Si todo lo que hice en la ciudad de México hubiera sido como lo que me ocurrió con María Conesa, no tendría de qué arrepentirme. Lo malo fue que, dominado por la soberbia y la maldad me convertí en una fiera, rodeado por las otras muchas fieras que eran mis oficiales. Mis muchachitos cometieron raptos, asesinatos, allanamientos y toda clase de barbajanadas, siendo inolvidables los abusos de mi compadre Tomás Urbina, quien se especializó en visitar las casas de los ricos para exigirles, pistola en mano, fuertes sumas de dinero.

Lo que no tuvo abuela fue el fusilamiento de un hombre tan decente y valeroso como David Berlanga. Militar, profesor de escuela y periodista, este joven revolucionario coahuilense trató de oponerse a nuestros desmanes. Una noche, Berlanga cenaba en un restorán de lujo, el Sylvain, cuando se percató de que un grupo de mis oficiales, que en compañía de varias mujeres habían comido de lo mejor y bebido demasiado champaña, se negaban a pagar la cuenta. Berlanga se les enfrentó con duras palabras, diciéndoles, ahora pienso que muy puesto en razón, que con sus abusos y robos desprestigiaban la bandera de la Revolución.

Yo estaba en esos días poseído por el mismísimo demonche. Y cuando me fueron a informar de lo hecho por David Berlanga, me enojé mucho y pateando varias veces el suelo con furia, exclamé:

"¡A esos perritos que andan ladrándome y queriendo morderme el calcañar los voy a aplastar así!"

Y sin pensarlo más, le ordené a mi lugarteniente Rodolfo Fierro que lo fusilara esa misma noche. David Berlanga fue al paredón sin dejar que le vendaran los ojos y dueño de una serenidad envidiable. No me conmoví ni un poquito al saberlo, porque en esos días el corazón de Pancho Villa se había vuelto de piedra. Con decirles que en pocos días mandé pasar por las armas a ochenta personas sospechosas de serme desafectas.

Sintiéndome incapaz de dominar la situación, Eulalio Gutiérrez quiso mudar su gobierno provisional a San Luis Potosí. Pero se lo impedí rodeando con los hombres de mi escolta el palacio Braniff, donde Gutiérrez se alojaba.

Al fin Eulalio Gutiérrez pudo huir y trasladarse a San Luis, después de lanzar un manifiesto en mi contra.

La ciudad de México debe de haber respirado con alivio cuando en los primeros días de enero de 1915, me marché rumbo al occidente del país al frente de mi División del Norte.

CAPÍTULO UNDÉCIMO

MIS GRANDES DERROTAS

❖

Si abandoné la ciudad de México junto con mis muchachitos fue porque fui informado que Maclovio Herrera, quien me había traicionado pasándose al carrancismo, y Antonio I. Villareal, unido también a Carranza, acampados en Monterrey y Saltillo, amenazaban la región lagunera, territorio villista. En vista de esto le ordené al general Felipe Ángeles que marchará a Torreón al mando de seis mil hombres, con el fin de evitar la penetración de las fuerzas carrancistas en la región. Yo, por mi parte, me dirigí a Guadalajara, donde se hallaba fortificado el general Manuel M. Diéguez.

Disponía entonces de cerca de treinta y cinco mil soldados de los estados de Chihuahua, Coahuila, Durango, Zacatecas y al norte de San Luis Potosí; y las distintas partidas que estaban en favor del villismo las calculaba en unos veinte mil hombres, sin incluír a mis aliados zapatistas, que sumaban veinte mil elementos.

Yo adquiría armas y pertrechos en los Estados Unidos, por una cifra mensual de medio millón de dólares, que obtenía de la exportación de metales preciosos y reses procedentes de los territorios dominados por los villistas.

A finales de 1914, quince mil constitucionalistas al mando de traidor Maclovio Herrera comenzaron a movilizarse por las vías del ferrocarril que unen a Monterrey, Saltillo y Torreón, con el propósito de apoderarse de esta última ciudad. Los contingentes de Felipe Ángeles, a los que se les unieron las fuerzas villistas de Emilio Madero, decidieron detener el avance carrancista. Eran unos diez mil hombres.

Felipe Ángeles dejó en la estación Hipólito, a la vista del enemigo, los trenes en que sus efectivos habían llegado, y dio instrucciones de que se hicieran movimientos de tropas que atrajeran la atención del adversario. Consiguió su propósito, ya que las avanzadas de Maclovio Herera se acercaron a reconocer el terreno y, después de sostener algunas escaramuzas, regresaron engañadas a su campamento. Mientras tanto, las columnas de Ángeles avanzaron hacia Saltillo, ciudad guarnecida por las fuerzas del general Antonio I. Villarreal.

Engatusados por la estrategia del general Ángeles, que les hizo suponer que disponía de fuertes contingentes en la estación Hipólito y los atacaba por el sur, colocándolos entre dos fuegos, los constitucionalistas abandonaron Saltillo y fueron a fortificarse en Ramos Arizpe, a mitad del trayecto del ferrocarril entre Saltillo y Monterrey.

El martes 5 de enero de 1915, Felipe Ángeles ocupó Saltillo, de donde salió el día 7 a enfrentar al enemigo, dándoles órdenes precisas a sus tropas de no disparar hasta que los soldados opositores se hallaran a una distancia de veinte pasos.

En la madrugada del viernes 8 la batalla dio comienzo. Y a las siete y media de la mañana, las fuerzas de Ángeles rompieron las líneas carrancistas, obligándolas a retirarse en desorden. Los villistas recogieron una gran cantidad de armas, dos millones de cartuchos y once mil granadas.

Al tener conocimiento del desastre sufrido, el general Villarreal ordenó evacuar la capital de Nuevo León, que poco después era ocupada por los contingentes de Ángeles. Los carrancistas se retiraron hacia Tampico.

Evacuada por el general Diéguez desde el 14 de diciembre, Guadalajara cayó en las manos de nuestras fuerzas. Replegado en Ciudad Guzmán con sus tropas, Diéguez recibió en enero de 1915 el refuerzo del general Francisco Murguía con efectivos de consideración, y ambos generales se lanzaron a la reconquista de la capital de Jalisco.

El domingo 17 de enero, a poca distancia de Guadalajara, avistaron a los villistas, que salieron de la ciudad para dar la batalla a campo raso. Eran nueve mil hombres al mando de Rodolfo Fierro y Juan N. Medina, que no hicieron el buen papel que se esperaba, a pesar de su superioridad numérica y de su excelente caballería.

Al día siguiente, por la mañana, el general Murguía hizo retroceder a los hombres de Fierro y de Medina, que poco después huían en desbandada, perseguidos por los carrancistas y dejando en su poder la mayor parte de su material de guerra. Guadalajara quedó de nuevo en manos del constitucionalismo.

En Irapuato recibí la noticia de esta derrota y de inmediato dispuse que se concentraran en esa población mis tropas que se hallaban en la región y los contingentes que había dejado en la ciudad de México, para ir a batir a los constitucionalistas posesionados de Guadalajara.

En los primero días de febrero, los villistas y los carrancistas nos enfrentamos en las inmediaciones de La Barca. Sin municiones suficientes para presentar una resistencia efectiva, no tardaron en replegarse los carrancistas, perseguidos por mis huestes.

Huían con tanta prisa, que opté por abandonar la persecución, con el fin de entrar en Guadalajara, donde fui recibido con grandes aclamaciones. Decidido a no repetir las atrocidades que cometí en la ciudad de México, que ya empezaban a remorderme en la conciencia, me porté lo mejor que pude con la población tapatía.

El sábado 14 de febrero de 1915 empezaron a salir de Guadalajara mis columnas en busca de los malditos carrancistas. Francisco Murguía se resguardó con tropa bien pertrechada en el pueblo de Atoyac, donde esperó a una columna villista, a la que obligó a retirarse. De Atoyac, Murguía se dirigió con sus hombres a la Cuesta de Sayula para unirse allí a las tropas del general Diéguez. En ese lugar se libró una batalla encarnizada el día 18 de febrero. Mi caballería cargó con gran ímpetu y velocidad contra las trincheras que los constitucionalistas construyeron, sin lograr desalojarlos.

Subido en una colina, animaba a mis muchachitos para que no cejaran en su acometida. Hubo una nueva y poderosa carga de mis jinetes y al filo de la media tarde los carrancistas empezaron a abandonar sus posiciones. Minutos después huían aterrorizados. Muchos de ellos fueron alcanzados por mis hombres, que los ultimaron.

Yo quería continuar la persecución de Diéguez y Murguía, pero recibí un pedido de auxilio del general Felipe Ángeles, quien luchaba en el noreste del país contra el enemigo. Rápidamente acudí en su ayuda, dejando a cargo de las operaciones en Jalisco a mis generales Rodolfo Fierro, Pablo Seáñez y Calixto Contreras.

Cuando llegué con mis gentes a Monterrey, ya Felipe Ángeles había logrado rechazar la ofensiva del general Pablo González. Así que salimos juntos a atacar al general Villarreal, situado con sus tropas en el pueblo de Los Ramones. Lo hicimos replegarse hacia el norte de Nuevo León y le quitamos parte de los buenos trenes que llevaba.

Por consejo de Felipe Ángeles, ordené que el general José Rodríguez, marchara sobre Matamoros; los generales Máximo García y Severino Ceniceros avanzaran sobre Ciudad Victoria y el general Orestes Pereyra saliera hacia Piedras Negras y Laredo, en seguimiento de Luis Gutiérrez y el cabrón de Maclovio Herrera.

El 20 de mayo José Rodríguez derrrotó a Pablo González en Cadereyta. El 22, las fuerzas de Villarreal fueron obligadas a replegarse a Matamoros. Y para entonces Maclovio Herrera se había refugiado en Nuevo Laredo y Luis Gutiérrez en la Sierra de Artega.

La buena fortuna parecía sonreírme en los asuntos de la guerra. ¡Cómo iba a pensar que no estaban lejanas mis grandes derrotas!

Perseguidos por mis generales Fierro, Medina, Seáñez, Contreras y otros, Diéguez y Murguía se retiraron con sus tropas al pueblo jalisciense de Tuxpan y a poblados de Colima, en espera de las municiones de siete milímetros que les hacían falta y que Carranza prometió enviarles.

Poco después recibieron el parque esperado y reiniciaron sus operaciones. Sus intenciones eran avanzar hacia el centro del país para unirse a las tropas del general Alvaro Obregón, y juntos obligarnos a los villistas a replegarnos más y más hacia la frontera.

Al mando de seis mil hombres y provistos de muy buena artillería y suficientes proyectiles de siete milímetos, los dos generales carrancistas avanzaron sobre el territorio de Jalisco dominado por fuerzas mías y se atrincheraron en las Barrancas de Atenquique.

El sábado 20 de marzo, al atardecer, los villistas acuartelados en el pueblo de Tuxpan, plaza evacuada por los carrancistas, supieron del acercamiento de las avanzadas enemigas. A la mañana siguiente, las tropas enviadas por Diéguez y Murguía, al mando del general Enrique Estrada, se lanzaron sobre Tuxpan, entablándose un fiero combate. Desde Zapotlán, Rodolfo Fierro acudió con refuerzos en auxilio de sus compañeros.

Ante la furia de la defensa villista, las fuerzas de Estrada se replegaron a Tecatitlán, donde recibieron el refuerzo de contingentes enviados por el general Murguía.

La batalla fue reñidísima y en ella Rodolfo Fierro lanzó una tras otra veloces y violentísimas cargas de caballería.

Pero los carrancistas atrajeron mañosamente a mis muchachitos a las Barrancas de Atenquique, donde ocultaban lo mejor de su caballería y su artillería.

La caballería de Enrique Estrada se lanzó contra la caballería villista, produciéndose un choque brutal en el que salieron mal librados los jinetes constitucionalistas.

Con las primeras luces del día 23 entró en acción el grueso de la columna del general Diéguez, recrudeciéndose la lucha por ambas partes, en duelo atronador de las artillerías y en enfrentamientos suicidas de las caballerías e infanterías de los ejércitos adversarios.

Infortunadamente, los carrancistas acabaron por imponerse a mis muchachitos, que fueron obligados a replegarse a Zapotlán, luego a Sayula y al atardecer de aquel sábado 23 se concentraron en Guadalajara.

En la batalla de Atenquique perdí más de dos mil hombres, muchas armas, abundante parque y ochocientos caballos.

Ya para entonces Álvaro Obregón avanzaba por el centro del país, entrando el 27 de marzo a Guadalajara, que ante su cercanía tuvimos que abandonar apresuradamente, pues a causa de la derrota sufrida en Atenquique nos hallábamos desorganizados y sin recursos suficientes para hacerle frente. El día 31 de ese mismo mes ocupó sin resistencia Querétaro, pues mis muchachitos que guarnecían la plaza la evacuaron para replegarse a Irapuato, donde concentraba mis mejores efectivos. Disponía de unos veinte mil hombres y veintidós cañones. Mientras que Obregón contaba con once mil, seis mil de ellos de caballería, y con trece piezas de artillería. No tenía la menor duda de que la balanza estaba a mi favor.

Sin embargo, el general Felipe Ángeles me aconsejaba avanzar de inmediato sobre Tampico, donde Pablo González se hallaba débilmente defendido, insistiéndome en que la posesión de ese puerto del Golfo nos proporcionaría valiosos recursos, permitiéndonos organizar perfectamente nuestras operaciones en el norte de la República y garantizándonos el abastecimieto fronterizo. Fui un cabeza dura y no quise hacerle caso a tan ameritado militar.

Hoy, con tantísimo tiempo para cavilar, pienso que otra muy distinta hubiera sido nuestra suerte de haber seguido sus consejos. Pero lo cierto es que nadie escapa de su propio destino. Y preferí dar la batalla en el centro del país, movido de seguro por mi odio a Obregón.

El domingo 4 de abril el perfumado se acuarteló con sus tropas, un ejército bien pertrechado y disciplinado, en Celaya. De inmediato ordenó cavar en los alrededores de la ciudad unos agujeros a los que daba el nombre de loberas, uno junto al otro, hasta abarcar una gran extensión. Cuando mis espías me informaron de esto, no le di importancia y lo tomé como una simple loquera del perfumado. El hecho fue que en estos agujeros metió a sus soldados yaquis, cada uno de estos indios provisto de un fusil. Y situó sus cañones y su caballería dentro de la ciudad. Además en un lugar llamado El Guaje, a dieciocho kilómetros de Celaya, colocó a la columna de caballería del general Fortunato Maycotte, unos diez mil jinetes.

El martes 6 arengué a mis hombres:

"¡Muchachitos, antes de pardear la tarde entremos a Celaya a sangre y fuego! ¡Den por cierto que vamos a romperles toda su madre a los obregonistas!".

Y di la orden de ataque.

La columna de Maycotte fue atacada por tres cuerpos de mi caballería, que la obligaron a replegarse y la persiguieron. Inesperadamente, Obregón salió en persona al auxilio de Maycotte con mil quinientos soldados de infantería. Logró salvar a la caballería de Maycotte, con la que regresó a Celaya.

Sobre una línea de combate de más de seis kilómetros, mis muchachitos atacaron. Por la derecha avanzaron la infantería de José Herón y las caballerías de Agustín Estrada y Calixto Contreras; y por la izquierda, la infantería de Pedro Bracamontes y la caballería de Joaquín de la Peña.

Lancé mis cargas de caballería conforme a mi costumbre, golpeando con terquedad una y otra vez. Pero metidos en sus loberas, los malditos yaquis nos ocasionaban un gran número de bajas. De pronto, dos batallones de infantería avanzaron sobre nosotros. Y un momento después las caballerías obregonistas cargaron sobre mis muchachitos, que se vieron obligados a iniciar la desbandada, perseguidos por el enemigo. La persecución cesó al caer la noche de aquel 7 de abril de 1915. Por mucho que me doliera, la victoria de Obregón era un hecho indiscutible.

Dejamos en el campo mil ochocientos muertos, tres mil heridos y gran cantidad de armas y municiones. Y se nos hicieron más de quinientos prisioneros.

Tenía que vengar esta derrota. Y luego de reorganizar mis tropas en Irapuato y en Salamanca decidí lanzarme de nueva cuenta sobre Obregón. Así que en la mañana del 13 de abril mis trenes salieron de Salamanca y se situaron en los campos cercanos a Celaya. Ese mismo día, a las cinco de la tarde, la División del Norte mandó sus primeras cargas de caballería, a las que respondió el fuego de los cañones y las ametralladoras de Obregón.

La batalla duró toda la noche, al amanecer las cargas de mi caballería fueron constantes. Y durante todo el día 14 los dos ejércitos mantuvimos nuestras posiciones, aunque yo me daba cuenta que mis muchachitos se gastaban y caían en inútiles asaltos a campo raso.

A eso de las cuatro de la mañana del jueves 15, las tropas de Álvaro Obregón emprendieron un ataque envolvente sobre el flanco derecho, donde seis mil de mis muchachitos se apoderaron de las márgenes del río La Laja. El general Benjamín Hill apoyó con sus hombres ese movimiento de sus compañeros obregonistas.

La caballería de Obregón no tomaba parte en las acciones, y supuse que el enemigo ponía toda su confianza en la infantería. Pero de pronto, seis mil jinetes constitucionalistas que permanecían escondidos en un bosque de mezquites cercano, aparecieron y cayeron como tromba sobre nuestras ya cansadas fuerzas, a las que mucho les sorprendió este ataque por la retaguardia.

La caballería y la infantería obregonistas fueron desalojando a mis muchachitos de sus posiciones, y a la una de la tarde ya se batían en retirada. En esta batalla tuve pérdidas de cuatro mil muertos, mil caballos ensillados y toda mi artillería.

Mi situación seguía adversa. El viernes 6 de abril llegué, lleno de pesadumbre a Aguascalientes, donde concentré a mis maltrechas tropas. Allí me enteré de que Obregón había ocupado Irapuato y Silao. Supe también que los generales Murguía y Diéguez, con diez mil soldados entre los dos, se habían incorporado a la fuerzas del perfumado, que con el refuerzo de tales contingentes sumaban ya poco más de veinte mil hombres.

Yo, por mi parte, contaba con el apoyo del general Felipe Ángeles, quien llegó a Aguascalientes a unírseme. Ángeles me aconsejó organizar la resistencia en esa ciudad, dándome muy buenas razones. Pero volví a meter la pata y ordené un reconocimiento entre las ciudades de León y Silao, con la determinación de presentar batalla en algún punto cercano a esas poblaciones. Mi obstinación y mi orgullo herido me hacían aferrarme a la idea de que con insistencia, y con una poca de suerte, derrotaríamos a los obregonistas en esa región.

El viernes 7 de mayo de 1915 el odiado Obregón instaló su cuartel general en la Estación Trinidad. A partir de esa fecha fueron constantes los encuentros entre villistas y obregonistas, en los extensos e irregulares frentes que ocupaban los dos ejércitos.

El miércoles 12 mis muchachitos atacaron con mucho ímpetu uno de los flancos obregonistas, y días después cargaron furiosamente pero sin resultados sobre la Estación Trinidad. Y el martes primero de junio me lancé personalmente con mi caballería sobre Silao y las Haciendas El Resplandor y Santa Ana del Conde, también sin logros apreciables.

Álvaro Obregón, en compañía del general Diéguez, llegó el jueves 3 de junio al cuartel del general Murguía, en Santa Ana del Conde. Enterados de que Obregón se encontraba en la hacienda, comenzamos a bombardearla intensamente. Obregón ordenó a los generales Murguía y Castro que salieran con mil jinetes a repeler nuesto ataque, y se puso a observar la acción desde un torreón de la hacienda, acompañado por el general Francisco Serrano y varios oficiales. Luego descendió y al cruzar un patio estalló una de nuestras granadas, uno de cuyos fragmentos le cercenó el brazo derecho. De inmediato fue llevado a la Estación Trinidad para ser atendido quirúrgicamente.

Al ser informado de que Obregón se encontraba herido, le rogué a Dios con toda mi alma que mi enemigo muriera en la mesa de operaciones, suponiendo que con su muerte se vendría abajo la eficacia de su ejército.

Lo cierto fue que, a pesar de la ausencia de Obregón, sus tropas lanzaron una poderosa ofensiva contra nosotros, obligándonos a replegarnos a la ciudad de León, en donde opusimos una desesperada resistencia. No obstante, León cayo en poder de las fuerzas de Murguía al mediodía.

Había que buscarle por otro rumbo. Y le ordené a mi compadre Tomás Urbina que saliera de Aguascalientes con la encomienda de combatir a las fuerzas de Lucio Blanco, tomar San Luis Potosí y continuar hasta el objetivo final: El Ébano y Tampico. Urbina tomó la capital potosina y se dirigió a El Ébano, donde el enemigo se hallaba fortificado, al mando de los generales Samuel Santos, Pablo González y Jacinto B. Treviño.

El domingo 21 de marzo de aquel mal año de 1915 veinte mil villistas, a las órdenes de Manuel Chao y mi compadre Urbina, marcharon sobre El Ébano. Llevaban veintiún piezas de artillería y numerosas ametralladoras. La lucha duró varias semanas, sin que mis muchachitos lograran sacar a los carrancistas de sus posiciones.

El miércoles 7 de abril los villistas de Chao y Urbina abrieron un tupido fuego de artillería que se prolongó durante siete horas. Pero los carrancistas permanecieron firmes y a fines de ese mes echaron mano de una flotilla de aviación. Uno de los aeroplanos efectuó un vuelo sobre las posiciones villistas y arrojó una gran cantidad de periódicos en los que se informaba de las victorias de Obregón en los campos de Celaya. Y luego, como las fuerzas de Chao y Urbina arreciaron el fuego de su artillería, el general Jacinto B. Treviño hizo salir de El Ébano una góndola blindada que llevaba tubos lanzallamas y ametralladoras que lograron contener a los cañones villistas. Al mismo tiempo, uno de los aviones dejó caer bombas de dinamita sobre las trincheras y sobre el cuartel de mi compadre Tomás Urbina.

Tarde me di cuenta de que perdí la oportunidad de atacar Tampico como me lo aconsejó Felipe Ángeles, es decir, cuando aquella plaza y la región se encontraban mal guarnecidas.

Mi problema mayor era que mantenía dispersas a mis tropas en muy distintos frentes. Cometí también el error de llamar a Aguascalientes, luego de mi primer descalabro, a ocho mil hombres de las fuerzas de Urbina, con lo que se debilitaron considerablemente los contingentes que sitiaban El Ébano.

Íbamos de mal en peor. El lunes 31 de mayo de 1915, el general Jacinto B. Treviño ordenó un asalto total contra los villistas que sitiaban El Ébano, y en pocas horas rompió su línea de combate y la dispersión no tardó en producirse. Las tropas de Urbina y Chao iniciaron su veloz retirada hasta San Luis Potosí.

Obregón se recuperó pronto de las heridas que le hicieron perder el brazo derecho, retomando el mando directo del llamado Ejército de Operaciones y disponiendo los preparativos para continuar su avance hacia el norte del país, con la intención de arrojarnos de la región a los villistas. Y después de varios encuentros de importancia menor, el martes 6 de julio de 1915 decidió lanzarse con todos sus efectivos sobre Aguascalientes, donde yo, Pancho Villa, me había fortificado.

Pronto me llegaron noticias de que el odio de Obregón hacia mi persona se había vuelto del tamaño del mundo. Él, tan catrín y fachoso, no me perdonaba ni me perdonaría nunca la pérdida de su brazo. Y pienso que si su alma negra aún existe en algún lugar, debe seguir odiándome, a pesar de que en 1923 mandó asesinarme a mansalva.

Animado por el buen resultado alcanzado por mis muchachitos en diversas escaramuzas sostenidas con los obregonistas, movilicé mi caballería y el viernes 9 casi tenía sitiado al Ejército de Operaciones. Hubo un momento en que Obregón se vio al borde de la derrota, pero reaccionó y evitó ser copado por nuestras tropas en la Barranca del Calvillo.

El sábado 10, muy temprano, Obregón atacó nuestras posiciones, peleando con furia diabólica. Horas después nos venció en el cerro de Las Liebres, mi último reducto en Aguascalientes, capturándonos ocho trenes con bastimentos, cuatro millones de cartuchos, nueve cañones, veintidós ametralladoras y cuatro mil fusiles.

Nuestros reveses continuaban. El 17 de julio de aquel año infortunado de 1915, el general Murguía se apoderó de Zacatecas, la ciudad que apenas el año anterior fuera el máximo triunfo de nuestra historia militar. Mis muchachitos, maltrechos y desorganizados, retrocedían a marchas forzadas rumbo a las poblaciones de Chihuahua y Coahuila que aún permanecían en poder de la División del Norte.

Algo me animó saber que Rodolfo Fierro y Canuto Reyes lograron tomar Querétaro, después de vencer a la escasa guarnición carrancista que defendía la ciudad. A continuación se posesionaron de San Juan del Río y siguieron hasta Tula, en el estado de Hidalgo, donde hicieron contacto con fuerzas de Emiliano Zapata.

Pero como dice el dicho: cuando Dios dice a fregar, del cielo caen escobetas. Obregón salió con parte de sus tropas a enfrentar a Rodolfo Fierro y a Canuto Reyes, derrotándolos en una hacienda próxima a Querétaro y obligándolos a abandonar la capital del estado.

En cuanto a la lucha en el noreste de la República, nuestra base era Monterrey, desde donde el general José Rodríguez incursionaba por el estado de Nuevo León intentando expulsar a los carrancistas. En marzo de 1915 avanzó con mil de sus hombres sobre la ciudad fronteriza de Matamoros, defendida por el general constitucionalista Emilio Nafarrete al mando de ochocientos soldados.

Nafarrete, quien acababa de recibir de los Estados Unidos un cargamento de cien ametralladoras y dos millones de cartuchos, que tenía la encomienda de remitir al cuartel general de Venustiano Carranza, en el puerto de Veracruz, colocó a sus soldados en los bordes circundantes de la población, provistos de las flamantes ametralladoras y con la orden de no disparar hasta que los villistas se hallaran a unos doscientos metros de distancia. Mis muchachitos fueron recibidos con ráfagas mortales y, cuando todavá no se reponían de la sorpresa, los constitucionalistas cayeron sobre ellos. La matanza de villistas fue espantosa.

El traidor Maclovio Herrera, informado de que una columna villista al mando de los generales Orestes Pereyra y Pedro Bracamontes acababa de salir de Monterrey, con el propósito de apoderarse de Nuevo Laredo, salió a su encuentro y les causó dos derrotas, los días 12 y 13 de abril. El 17 de ese mes, Maclovio Harrera murió a resultas de una bala que le atravesó el pulmón y que le fue disparada equivocadamente por sus propias gentes. Digna muerte para ese perro traidor.

Era notorio que andábamos con el santo de espaldas, pues los triunfos carrancistas se sucedían en diversos lugares del país. Uno de ellos ocurrió en La Muralla, Sinaloa, donde las fuerzas del general Ramón Iturbe vencieron a los villistas de Rafael Buelna, quien después de esta derrota huyó a exiliarse en Estados Unidos.

En agosto de 1915 todo el centro de la República se hallaba en poder de los carrancistas. Mientras tanto yo, Pancho Villa, con mi cuartel general establecido en Torreón, me movilizaba por la comarca lagunera y por el estado de Chihuahua, reclutando campesinos para mi ejército, con la esperanza de tomar revancha y derrotar al manco Obregón.

En la ciudad de Chihuahua me enteré de que los hermanos Arrieta se habían posesionado de la ciudad de Durango, luego de vencer al general villista Severiano Cisneros. Así que organicé una columna con la que me dirigí a Durango, arrebatándole esa plaza a Mariano y Domingo Arrieta. Debo reconocer que ésta fue una de las pocas victorias villistas en ese año maldito de 1915.

En esos mismos días, Obregón ordenó la reparación de la vía férrea de San Luis Potosí a Saltillo, para transportar a sus tropas hasta las cercanías de esa ciudad, donde se hallaban atrincherados considerables contingentes villistas. El primero de septiembre llegó a la Estación Carneros, donde fue informado de que el enemigo se había fortificado en la zona montañosa de La Angostura.

El sábado 4 los obregonistas, unos cinco mil soldados de infantería llevando al frente a la caballería de general Cesáreo Castro, hicieron contacto con mis muchachitos. La artillería de Obregón entró en acción y en menos de media hora su caballería y sus batallones de infantería rompieron las líneas de los villistas y éstos huyeron en desbandada.

Las tropas constitucionalistas entraron sin dificultad en Saltillo. Apenas instalado allí, el manco fue informado de que el general Luis Gutiérrez acababa de cumplir, en la Cuesta del Cabrito con la consigna de detener al enemigo. Supo también que el general obregonista Fortunato Zuazua había expulsado a los villistas de varias poblaciones del norte de Coahuila, posesionándose de la ciudad fronteriza de Piedras Negras.

Se preparaba Obregón para avanzar sobre Torreón, cuando recibió la noticia de que yo, con unos doce mil hombres, había salido de Casas Grandes, Chihuahua, rumbo a Sonora, donde el general Plutarco Elías Calles acababa de derrotar al gobernador José María Maytorena, mi gran amigo.

Al dejar Casas Grandes, sufrí una pérdida muy dolorosa. Mi lugarteniente y querido amigo Rodolfo Fierro se ahogó con todo y caballo al tratar de cruzar la cenagosa laguna de Guzmán. Fierro se hundió con su corcel debido a la gran cantidad de oro que llevaba en las alforjas. No fue posible salvarlo, por más esfuerzos que hicimos.

Desde su cuartel en Saltillo, Obregón ordenó a Diéguez que saliera con todas sus tropas de Mazatlán, embarcadas en un cañonero y diversas embarcaciones. Estas fuerzas llegaron el 12 de Octubre a Guaymas, puerto en poder del constitucionalismo, y desde allí marcharon hacia Hermosillo, con el fin de dar protección a la capital del estado. Dispuso también que desde San Luis Potosí saliera una poderosa división de infantería, caballería y artillería, para unirse a Diéguez. Y ordenó que los generales Ángel Flores y Enrique Estrada se movilizaran hacia el norte de Sonora.

Me sentí muy dolido al saber que el gobierno de los Estados Unidos reconoció el día 19 de octubre de 1915 al régimen de Venustiano Carranza. ¡Pinches gringos falsos, después de que tanto dijeron admirarme y me apapacharon en los días de mis triunfos militares! Y no dejaba de entender que eso significaba que de allí en adelante tendría dificultades para comprarles armas y municiones.

Pero lo inmediato era ir al encuentro de las tropas enviadas a Sonora por el manco Obregón. Para lograrlo tuve que cruzar por lugares muy ásperos y difíciles, entre ellos el Cañón del Púlpito, un imponente desfiladero de ocho kilómetros de largo y altísimas paredes de piedra. Cuando al fin mi columna entró a Cuchibirachi, en territorio sonorense, habíamos perdido en el trayecto cerca de tres mil hombres, el ochenta por ciento de nuestro material de guerra y varios carros con medicinas e instrumental médico.

Pero sin perder el valor, el lunes primero de noviembre emplazamos nuestra artillería a tres kilómetros de Agua Prieta, población cercana a la frontera, donde el general Calles se hallaba atrincherado con sus tropas y había alzado alambradas de púas y dispuesto una línea de minas.

Estaba decidido a vencer a Calles en Agua Prieta con cargas de caballería y con el apoyo de la artillería de Felipe Ángeles. Pero el martes 2 de noviembre, poco antes de la media noche, recibí un informe de mis agentes en Estados Unidos, notificándome que el gobierno norteamericano había permitido el paso por su territorio de cinco mil soldados constitucionalistas. ¡Malditos gringos, estaban dispuestos a vengarse de mí porque no acepté traicionar a México en su beneficio!.

Los efectivos carrancistas que pasaron por Estados Unidos eran tropas al mando del general Francisco Serrano, que poco después se encontraban listas para combatirnos.

Di la orden de ataque. Pero la batalla fue muy corta debido a la notoria superioridad del enemigo. Tuve que ordenar la retirada, manteniendo únicamente frentes aislados como sostén de la maniobra.

Al retirarnos de Agua Prieta dejamos en el campo seiscientos hombres, entre muertos y heridos, sufriendo además las bajas de cuatrocientos soldados que pasaron la frontera para luego rendirse al general Calles.

Mi intención era desplazarme con mis tropas hacia las cercanías de Hermosillo, para planear desde allí el modo de apoderarnos de esa plaza. Al mismo tiempo me interesaba durante el trayecto aumentar el número de mis tropas, con incorporaciones de hombres de la región.

El 7 de noviembre abordamos varios trenes, haciendo una primera parada en Cananea, donde los habitantes del lugar nos recibieron con grandes muestras de afecto. Pero me echó a perder este gusto la noticia de que en el Fuerte, Sinaloa, los obregonistas habían derrotado a las columnas villistas al mando de los generales Juan Banderas y Orestes Pereyra, que se dirigían a Sonora a auxiliarme. Otra mala noticia me llegó el 14 de noviembre; Obregón en persona marchaba en mi contra al frente de considerables contingentes. Lo peor era que llegaba por el lado estadounidense, puesto que el gobierno gringo daba ya todo su apoyo al carrancismo.

El jueves 18, al mediodía, llegué con mis dorados a la Estación Alamitos, cerca de Hermosillo, donde el general villista Francisco Urbalejo y su tropa de soldados yaquis nos ofrecían una barbacoa.

Apenas nos habíamos sentado a la mesa cuando se escucharon fuertes descargas de fusiles y ametralladoras. Era el ataque de una avanzada del general Diéguez. Tuvimos que replegarnos a toda prisa a nuestro campamento instalado en la Estación Pesqueira.

El sábado 20 de noviembre ataqué Hermosillo, lanzando mi caballería contra las defensas constitucionalistas de Diéguez, y apoyando la furiosa embestida con el fuego de la artillería de Ángeles. Los yaquis de Francisco Urbalejo pelearon a nuestro lado con ferocidad. El combate duró todo el día y parte de la noche, sin que pudiéramos vulnerar las posiciones enemigas. A la mañana siguiente ordené la difícil retirada hacia Chihuahua. Vencido y triste, el general Felipe Ángeles, mi respetado amigo, prefirió partir a exiliarse en Estados Unidos.

Mientras con algunos miles de hombres me alejaba rumbo a Chihuahua, quedaron en Sonora algunas fuerzas villistas al mando de José Rodríguez. Unos días más tarde fueron vencidos y dispersados por los obregonistas, que les capturaron sus fusiles, sus caballos, veintiún cañones y un gran número de prisioneros. El desastre era completo.

Conocí en esos finales del 1915 el sabor de la derrota en toda su amargura y profundidad.

CAPÍTULO DUODÉCIMO

SANTA ISABEL, COLUMBUS Y EXPEDICION PUNITIVA

El 19 de diciembre de 1915 amaneció en Chihuahua con lluvia, mucho viento y frío. La lluvia se convirtió en nieve y parecía que el sol no volvería a salir nunca.

A eso del mediodía de aquel domingo tan destemplado en que la nieve no paraba, les hablé a las gentes reunidas en la Plaza Hidalgo, desde el balcón central del Palacio de Gobierno. Era mi despedida y estaba muy emocionado. Les dije la pura verdad, contándoles que Carothers, el representante especial del gobierno norteamericano, me había propuesto una semanas antes en El Paso que aceptara algunas condiciones que su gobierno pedía para darme su reconocimiento oficial y toda su ayuda. Y les revelé que entre esas condiciones, que por supuesto no acepté, estaban la cesión del territorio de Baja California, la concesión por noventa y nueve años de una franja del Itsmo de Tehuantepec y la prerrogativa estadounidense de nombrar los ministros de la Guerra, Comunicaciones y Hacienda en el gabinete villista que se formaría.

Luego les hice un llamado ferviente a todos mis hermanitos de raza para que continuaran en la lucha, que no podía abandonarse hasta que reinara la justicia en este país. Y mirando con cariño a los veteranos que me siguieron de ida y vuelta por la sierra y participaron conmigo en la difícil y dispareja campaña de Sonora, terminé con estas palabras:

"Quisiera de buena gana que éste fuera el final de la lucha, que se acabaran los partidos políticos y que todos quedáramos como hermanos, pero como por desgracia será imposible, me aguardo para cuando se convenzan ustedes de que es preciso continuar el esfuerzo, y entonces nos volveremos a juntar".

Era indispensable terminar la reunión, porque a las puertas de la ciudad se encontraban ya las avanzadas del cuerpo del ejército que mandaba el general carrancista Jacinto B. Treviño.

Al día siguiente me despedí de mi esposa Luz, diciéndole:

"Adiós, Güera, me voy a la sierra donde andaré con un huarache en la mano y pelearé como Dios me ayude. Nunca abandonaré la lucha y si muero será peleando y será dentro de mi país".

Y me dirigí a la hacienda de Bustillos, donde con muchísima tristeza disolví a la División del Norte, limitándome a las acciones de guerrillero en el estado de Chihuahua.

Mis gentes y yo sentíamos un rencor profundo contra Estados Unidos. Considerábamos una traición y una venganza en contra mía el reconocimiento al gobierno de Carranza. Y los jefes guerrilleros Rafael Castro y Pablo López decidieron asaltar un tren que se dirigía al mineral de Cusihuiriachic, con personal de una empresa minera gringa.

La emboscada tuvo lugar el lunes 10 de enero de 1916 en el sitio llamado Santa Isabel. Dieciocho norteamericanos, quince de ellos ingenieros y empleados de la empresa referida, fueron robados y pasados por las armas por los jefes Castro y López, y sus hombres.

El gobierno de Estados Unidos reclamó al de México. Y Venustiano Carranza lanzó un decreto, el 14 de enero de ese año, que nos ponía fuera de la ley a mis compañeros y a mí, manifestando claramente que cualquier ciudadano de la República estaba autorizado para aprehendernos y ejecutarnos sin formación de causa.

Así estaban las cosas cuando, el 16 de febrero de 1916, fui informado de que el comerciante norteamericano Samuel Rabel, mi proveedor de armas y dueño de una tienda en el pueblo de Columbus, en Nuevo México, se negaba a seguir vendiéndome armamento y se rehusaba a devolverme el dinero que se le había adelantado.

Luego de pensarlo bien, reuní a cuatrociento de mis hombres en la hacienda de San Jerónimo, para decirles: "Muchachitos, esta lucha en la que andamos metidos nos exige los mayores sacrificios. Tenemos por delante una misioncita algo peliaguda, para la cual necesito gentes de mucha confianza, y ustedes dan la medida, pues vamos a ir a matar gringos".

Nos fuimos a la línea fronteriza, adonde llegamos poco antes de la medianoche del miércoles 8 de marzo. Pasada la uno de la madrugada, di la orden de cortar la alambrada que marcaba la frontera entre los dos países. Nos metimos por el agujero y no tardamos en llegar al campamento militar de Columbus, donde tres dorados se acercaron al puesto de guardia y apuñalaron a los centinelas. Y un grupo de villistas se encargó de mantener a raya a la desprevenida guarnición del campamento. Los soldados norteamericanos no pudieron echar mano de sus ametralladoras, ya que éstas se hallaban guardadas bajo llave.

En seguida otros de mis muchachitos y yo irrumpimos en el pueblo, disparando nuestros rifles al aire y gritando: "¡Viva Villa y viva México, gringos jijos de la tiznada!".

En nuestros caballos a todo galope prendimos fuego al banco, a las tiendas y a los hoteles, rompiendo a culatazos las puertas del hotel donde suponíamos que se alojaba Samuel Lebel, quien para su buena suerte estaba ausente del pueblo.

Tres horas después de iniciado el ataque, mis hombres y yo cruzamos de nuevo las rotas alambradas, esta vez hacia México, dirigiéndonos a la sierra chihuahuense, donde teníamos escondites seguros.

El asalto a Columbus provocó un gran escándalo en Estados Unidos, y hubo un intercambio de notas entre los gobiernos norteamericano y mexicano. Y con el permiso del cabrón de Carranza, el miércoles 15 de marzo de 1916 el general John J. Pershing cruzó la frontera de nuestro país, al mando de una expedición de castigo decidida a capturarme.

La expedición punitiva constaba de seis mil elementos de infantería y caballería, una batería de artillería, un escuadrón aéreo y dos compañías de transporte. Posteriormente, nuevos contingentes se sumaron a la expedición, hasta hacer un total de diez mil soldados.

Establecido temporalmente en el pueblo de Namiquipa, me enteré el 18 de marzo de 1916 de la incursión militar gringa enviada en mi contra y comenté:

"Ni modo, los güeros se me vienen encima y pronto veremos cuántos sombreros salen sobrando y sabremos a cómo nos toca".

La expidicón punitiva me buscó en vano por las sierra y las llanuras de Chihuahua. Mi popularidad era grande y mucho el cariño de las gentes del pueblo hacia mí. Y los norteamericanos recibían pistas falsas.

A pesar de hallarme buscado por norteamericanos y carrancistas el lunes 27 de marzo ataqué por sorpresa la ciudad de Chihuahua, poniendo en fuga a la guarnición y posesionándome transitoriamente de la plaza. Desafortunadamente, en el curso del combate una bala perdida rebotó y se me incrustó bajo la rodilla derecha. Luego de recibir las primeras curaciones, me interné con unos pocos de mis hombres en la serranía para escapar de mis perseguidores.

Con la pierna muy hinchada y dolorida era conducido en una camilla improvisada con ramas. Casi no podía comer y me debilitaba notoriamente. Al fin mis compañeritos me depositaron en una cueva situada en un elevado risco y cuya entrada estaba cubierta de vegetación.

Allí permanecí seis semanas, alimentándome de arroz y cecina y aplicándome pencas de nopal sobre la herida. Durante unos días, una avanzada norteamericana instaló su campamento tan cerca de la cueva, que oía sus conversaciones y sus canciones sin entenderlas.

Por fin pude empezar a caminar de nuevo apoyándome en un palo y avanzando con dificultad. Decidí que era el momento de abandonar la cueva y así lo hice, valiéndome de una burra como medio de transporte y deteniéndome con frecuencia a descansar.

En abril de 1916 un mayor del ejército estadounidense, al mando de varios escuadrones de caballería y uno de ametralladoristas, acudió a Parral, por haber sido falsamente informado de que allí me encontraba. En esa población encontró al general constitucionalista Ismael Lozano, quien al frente de sus cuatrocientos hombres le ordenó salir de Parral con sus fuerzas, dado que sus habitantes estaban muy indignados con su presencia.

Mientras ambos jefes militares discutían, los soldados gringos se sentaron a descansar en los prados de un jardín, frente a una escuela pública, desde donde los niños al verlos empezaron a tirarles piedras y a insultarlos. No tardó en acudir una muchedumbre de mujeres enfurecidas encabezadas por una joven, quienes secundaron a los colegiales y procedieron a injuriar y lapidar a los militares extranjeros.

Alarmado, el oficial estadounidense ordenó la retirada inmediata. Pero los parralenses rodearon al mayor y a sus hombres, exigiéndoles gritar "¡Viva Villa!", antes de que les dejaran marcharse.

Cuando me contaron los sucedido en Parral, el corazón se me llenó de gozo y exclamé:

"¡Parral me gusta hasta para morirme!"

¡Cómo iba yo a adivinar entonces que el destino iba a concederme ese gusto!

En ese año en que fui perseguido a la vez por norteamericanos y carrancistas, un día me estaba bañando en un arroyo cercano a Valle de Allende, cuando fui avisado de que se acercaba una fuerza de caballería constitucionalista. Rápidamente me vestí, monté sobre mi yegua y salí a escape. Al llegar a una ranchería aparecieron tres soldados federales que me marcaron el alto. Me les eché encima y los arrollé con mi yegua, sin que me tocara el disparo que uno de los soldados me hizo, y seguí cabalgando hasta un sitio seguro. Al desmontar, me percaté de que la yegua tenía el pecho lleno de sangre. El noble animal había sido tocado por la bala, que lo traspasó saliéndole por la paleta derecha. Sin embargo, siguió corriendo conmigo a cuestas cubriendo una distancia de siete leguas. Curé personalmente y con mucho afecto a la yegua, que desde ese día fue mi consentida y a la que bauticé con el nombre de "Siete Leguas".

Preocupado por mis acciones guerrilleras, Carranza le dio al general Francisco Murguía la consigna de combatirme. Despiadado, Murguía ahorcaba a cuanto muchachito mío capturaba, lo que le valió el mote de "Pancho Reatas". No menos desalmados éramos nosotros con los elementos de Murguía que caían en nuestras manos.

El 6 de febrero de 1917, la expedición punitiva abandonó México. Once meses después de que el general Pershing aseguró que habría de capturarme y llevarme en una jaula de hierro, regresaba a su país cubierto de fracaso y ridículo.

El general Felipe Ángeles cruzó la frontera el 11 de diciembre de 1918, para reunirse de nuevo conmigo. Esta vez nuestras relaciones no fueron tan cordiales como antes. Yo le reprochaba el haberse agringado, y él me censuraba el modo en que conducía la guerra, fraccionando mis tropas en pequeñas partidas, en lugar de organizar una verdadera campaña.

Cinco meses mas tarde, Ángeles decidió abandonarme, y así lo hizo a la cabeza de doce hombres armados. Anduvo errante por el estado, padeciendo privaciones, y acabó por refugiarse en una cueva de la región de Balleza. Uno de sus acompañantes lo traicionó por la recompensa ofrecida. Fue aprehendido y llevado a la ciudad de Chihuahua, donde fue sometido a juicio y fusilado el 26 de noviembre de 1919. Mucho me dolió la muerte de este militar valiente, ejemplar e idealista, apenándome el hecho de que nos hubiéramos tratado con aspereza durante la última temporada que permanecimos juntos.

Cansado de persecuciones y de lucha, en julio de 1920 me rendí al presidente provisional Adolfo De la Huerta.

CAPÍTULO XIII

RENDICION, PACIFICACION Y MUERTE

Después de que Carranza murió asesinado, lo sustituyó en el gobierno Adolfo de la Huerta, quien tomó posesión como presidente provisional el primero de junio de 1920.

El ingeniero Elías L. Torres, amigo de don Adolfo y también amigo mío, se propuso obtener mi amnistía. Para ello hablo primero con De la Huerta, a quien le pareció bien la idea. Viajó entonces a Chihuahua a entrevistarse conmigo.

Días después me comuniqué telegráficamente con el señor De la Huerta, con el que crucé varios mensajes.

El presidente me ofreció un año de haberes como general, tierras para que mis hombres y yo nos dedicáramos a la agricultura, o la alternativa de servir como fuerzas irregulares durante un año. Dispondría de una escolta de cincuenta elementos y me radicaría en una hacienda cedida por el gobierno.

Solicité que tales ofrecimientos quedaran asentados por escrito, argumentando:

"Es por mis muchachitos. A usted no le tengo desconfianza, pero queremos una seguridad para el día de mañana, cuando usted deje la presidencia y desaparezca del gobierno".

El presidente De la Huerta comisionó al general Eugenio Martínez para que ultimara conmigo los detalles de la rendición. Y ambos quedamos telegráficamente de encontrarnos en Sabinas. Unos quinientos villistas y yo realizamos un pesado

147

recorrido de setecientos kilómetros, desde Encinillas, Chihuahua, hasta Sabinas, Coahuila.

El 26 de julio de 1920 llegamos a Sabinas, desde donde le telegrafié a Torreón a Eugenio Martínez, para informarle de nuestro arribo. De inmediato el general Martínez, con una escolta de cincuenta hombres, tomó un tren que llevaba vía libre, rumbo a Sabinas, adonde llegó al día siguiente. Nos tendimos la mano y nos dimos un fuerte abrazo.

El 28 de julio, en el palacio municipal de Sabinas, se firmó el pacto de amnistía. En los puntos principales del convenio se señalaba que yo deponía las armas, retirándome a la vida privada; que el gobierno me adjudicaba la hacienda de Canutillo, en el estado de Durango, haciéndome entrega de los títulos de propiedad; que conservaba una escolta de cincuenta hombres de mi confianza, pagados por el gobierno, para mi seguridad personal; que a cada uno de los componentes de las fuerzas villistas, el gobierno les entregaba sus haberes correspondientes a un año, según el grado que ostentaran, y ellos, a cambio, entregaban todas las armas que poseyeran; y que yo, Francisco Villa, me obligaba a no volver a tomar las armas en contra del gobierno, ni en contra de mis compatriotas.

De Sabinas a Tlahualillo, donde se convino que haríamos la entrega de las armas, los villistas marchamos a caballo, en un corrido muy triste. De Tlahualillo me dirigí en compañía de mi esposa Luz y de mi escolta, a Canutillo.

Los periodistas me asediaban. Uno de ellos me dijo:

–Después de haber depuesto las armas, general Villa, ¿considera que puede pensarse ya en una época de paz duradera en nuestro país?

Mi respuesta fue:

–Tanto así no lo sé. En cambio, puedo asegurarle que Francisco Villa no volverá arevolucionar. Quiero dedicarme por completo a la vida tranquila y pasar el resto de mi vida en el campo.

Otro me preguntó:

–¿Ya no más guerras, general?

Le contesté:

–Puede usted decir en su periódico que se acabó la guerra; y que ahora andamos juntos los bandidos y las gentes honradas.

Siempre supe ser un hombre agradecido. Y con gusto le obsequié mi hermosa y querida yegua "Siete Leguas" a don Adolfo de la Huerta.

Una vez asentado en la hacienda, todos los días me levantaba con la luz del sol para entregarme al trabajo del campo. Por la noche, luego de cenar, deletreaba en voz alta a la luz de un candil el bonito libro de *Las mil y una noches*, porque me procuraba buenos sueños. También me gustaba mucho hojear las páginas de los libros de *El tesoro de la juventud*.

En uno de los lugares más visibles de la finca coloqué un retrato de Francisco I. Madero y un busto de Felipe Ángeles.

Y una vez que organicé la vida de la hacienda, quise tener conmigo a la mayor parte de mis hijos. Y poco a poco fueron llegando a Canutillo, llevados por sus mamás, Hilario, Agustín, Micaela, Celia, Juana María, Octavio y tantos más. A todos ellos les asigné sus habitaciones y los puse al cuidado de una preceptora, la maestra Magdalena Bueno.

Hice además todo lo posible por echar más hijos al mundo, conforme a esta declaración mía:

"No hagan nunca violencia a las mujeres. Llévenlas a todas al altar, que al fin y al cabo los matrimonios por la Iglesia no obligan a nadie, y de este modo no se privan ustedes de su gusto ni las desgracian a ellas. Ya me ven a mí, tengo a mi esposa legítima ante el juez del Registro Civil, pero tengo otras también legítimas ante Dios, o, lo que es lo mismo, ante la ley que a ellas les importa. Ninguna, pues, tiene de qué esconderse ni de qué avergonzarse, porque la falta o el pecado, si los hay, son míos. ¿Y qué mejor camino que éste, de la conciencia tranquila, y el buen entendimiento con todas las hembras que se le antojen a uno? Los obstáculos de los curas no los desazonen, que amenazando con echar bala todo se arregla".

A finales de 1923, un periodista jovencito y un fotógrafo que lo acompañaba, llegaron a Canutillo para hacerme una larga entrevista. Cada mañana, muy temprano, golpeaba la puerta del dormitorio donde alojé a los periodistas y les decía:

"¡Ándenle, muchachitos, no sean flojos! Ya levántense para empezar a echar la platicada".

Me los llevaba a que conocieran las instalaciones de la hacienda. Y al llegar a los campos de cultivo interrumpía la conversación para trabajar un buen rato con la azada, la trilladora o el tractor. Al dejar la tarea, les comentaba:

"Así hay que trabajar,amiguitos, para que coma nuestro pueblo".

El día que los llevé a visitar la escuela que mandé construir dentro de la hacienda, les dije:

"La incultura es una de las desgracias de mi patria. Yo primero le pago a un maestro y después a un general".

Hice también declaraciones acerca de Adolfo de la Huerta, ya en ese entonces fuera de la presidencia:

"Fito es muy buen hombre, y si tiene defectos es debido a su mucha bondad. Es un político al que le gusta conciliar los intereses de todos, y el que logra ésto hace un gran bien a la patria. Fito es buena persona, muy inteligente, muy patriota y no se vería mal de nuevo en la silla".

Les dije también que Pancho Villa todavía podía servir en una noche oscura y movilizar a cuarenta mil hombres en sólo cuarenta minutos; y que tenía en mi hacienda como medieros a mil ochocientos hombres, todos con armas nuevas y parque suficiente.

Todo ello era verdad. Pero fue una gran imprudencia mía decírselo a aquel periodista.

Cuando las entrevistas empezaron a publicarse en un importante periódico, mis declaraciones de seguro molestaron a Obregón, que no quiso que se retrasara más mi asesinato, el cual venía tramándose desde meses antes por matones a sueldo contratados por el manco.

Lo cierto es que asistí al pueblo de Río Florido a ser padrino de un bautismo. Por economía, Miguel Trillo, mi secretario, se opuso a que nos acompañara la escolta y sólo viajaron conmigo el propio Trillito y cinco hombres más.

De regreso a Canutillo, me detuve en Parral para el arreglo de unos papeles de mi testamento. Y el 20 de julio de ese año de 1923 dispuse que siguiéramos rumbo a mi hacienda.

Yo mismo manejaba mi automóvil, un vehículo Dogde. A mi derecha iba Trillito y en los asientos posteriores los miembros de mi escolta Ramón Contreras, Rafael Medrano, Claro Hurtado y Daniel Tamayo . Sobre el estribo derecho viajaba el chofer Rosalío Rosales. A velocidad moderada avanzamos por la avenida Juárez y al dar la vuelta por la callle Gabino Barreda, se oyó un disparo al que siguieron muchos más. Sentí que la vida se me iba por los muchos agujeros que le hicieron a mi cuerpo, mientras el automóvil, sin dirección, iba a estrellarse contra un árbol.

Y caí en lo negro, en la muerte, en algo peor que la muerte, en el infierno mismo donde sigo. ¿Para siempre? ¿Quién sabe! A tanto piensa y piensa, a tanto cavila y cavila, se me ocurre que tal vez algún día Dios me perdonará. O que yo, que antes me fugué de la penitenciería de Durango y de la prisión militar de Tlatelolco, acabaré escapándome también del infierno y hallando el modo de recuperar la vida y con ella a mi División del Norte.

¡Que se cuiden entonces los sinvergüenzas que tienen muerto de hambre y necesidad a mi pobrecito pueblo mexicano! Se los digo yo, Pancho Villa.

Impreso y hecho en México
Printed and made in Mexico

Impreso en los talleres de
Impresora Cantori, S.A. de C.V.
Centeno núm. 590
Col. Granjas México
México, D.F.

Esta edición consta de 4,000 ejemplares

Marzo de 1992